T3-BHN-215

ORTOGRAFÍA AL DÍA

BEATRIZ ESCALANTE

ORTOGRAFÍA AL DÍA

*Indispensable para estudiantes
y correctores de estilo*

(Curso completo con teoría y ejercicios)

TOMO I

Acentuación y puntuación

PRÓLOGO
DE
ARRIGO COEN

Segunda edición

EDITORIAL PORRÚA
AV. REPÚBLICA ARGENTINA 15
MÉXICO, 2004

Primera edición, 2003

Copyright © 2004 por
BEATRIZ ESCALANTE
beatrizescalante_cisneros@hotmail.com

Esta edición y sus características son propiedad de la
EDITORIAL PORRÚA, SA de CV   8
Av. República Argentina 15 altos, col. Centro, 06020, México, DF

Queda hecho el depósito que marca la ley

Derechos reservados

ISBN 970–07–5098–1

IMPRESO EN MÉXICO
PRINTED IN MEXICO

A Manuel Escalante, *amadísimo papá,*
porque estés donde estés,
entre nosotros siempre estás.

AGRADECIMIENTOS

A Beatriz Cisneros, mi adorada mamá, por hacerme feliz.

A Helena Beristáin y Arrigo Coen, de quienes he tenido el privilegio de aprender lo que no se halla en sus libros sino en los dilatados márgenes.

A la poeta Adelaida Villela, por las desveladas en su cálida biblioteca; los ratos de poesía, las tardes de perros (literalmente hablando) y por esa larga y pausada amistad a prueba de críticas literarias.

A María Teresa Mejía, Marcia Duarte, Vanessa Vera, Lourdes Penella, Vicente Morales, Óscar Trinidad, Verónica García, Susana Cerezo, Gustavo Chávezcamacho y Eduardo Mosches. A los amigos que me ha dado Radio Educación. Cada uno sabe lo importante que resultó para este volumen la frase oportuna, la crítica inteligente; ese dato que yo no lograba encontrar, como el autor de una canción o las líneas de un poema que finalmente no quedó en las páginas de esta obra; pero sí en mi recuerdo. Porque la vida me ha permitido comprender que los libros se construyen en compañía, y guardan entre los párrafos fragmentos de la propia existencia.

A mis alumnos: los conductores y redactores de Televisión Azteca; a los del Instituto Electoral del Distrito Federal; a los del Canal 11; a los periodistas culturales del CNCA; a los artistas disfrazados de trabajadores del INBA, y a los redactores de tantos otros lugares en donde tuve la oportunidad de probar el material didáctico sola o acompañada por la guitarra de mi amigo José González Márquez. Nunca un curso de ortografía se pareció tanto a una fiesta.

A todos los que no menciono ya, mi desmemoriado agradecimiento.

PRÓLOGO

Arrigo Coen

Hace tiempo —yo diría que desde mediados del siglo antepasado, el XIX— que la pedagogía ha venido confirmando las ventajas de la técnica didáctica que aconseja "enseñar jugando", la cual, a su vez, se basa en un principio de buena docencia que recuerda que se almacena mejor en la memoria todo conocimiento obtenido en circunstancias agradables.

A las luces de la psicología, es evidente que la grata asociación que se establece en el espíritu del *discente*, el "que aprende", entre el saber asimilado y el ámbito lúdico, "juguetón" en que fue expuesto, suscita la evocación y, por ende, la retención en la memoria del conocimiento así adquirido.

En los tiempos clásicos por excelencia —el siglo de Pericles—, sin menospreciar la profunda influencia didáctica de la tragedia (Sófocles, Esquilo, Eurípides), no cabe duda acerca del impacto pedagógico y hasta demagógico de la comedia (Aristófanes) que, burla burlando (*castigat ridendo mores*[1]), fustigaba los intentos conservadores, antidemocráticos, de algunos areopagitas, contra el célebre legislador ateniense.

Recuerdo que durante unos juegos de salón en que se trataba de dar ejemplos de palabras cuyos elementos formales estuvieran traspuestos —lo que en lingüística se entiende por metátesis—, después de que un participante había propuesto cocodrilo por antecedente etimológico de *crocodilo*, y otro jugador recordó que *milagro* es una forma anagráfica de *miraglo*, prístinamente "lo admirable", un tercero reveló que *murciélago* no es otra cosa sino un "ratón ciego", significado de *mur ciégalo* en los albores de nuestro romance. (Mi participación esa vez fue humilde: aduje *cantinela*, alteración de *cantilena*.)

---

1 Esto no significa, como lo suponía un mal alumno de latín: "el casto gato riendo muere".

Si algunos de los presentes en aquella velada hubiese ignorado los orígenes de cualquiera de los términos apuntados, es seguro que en esa ocasión aprendió para siempre lo que no sabía, gracias a que lo asimiló jugando.

Pues bien: el gran mérito —llamémosle secreto— del libro *Ortografía al día* que la gentil lectora o el avisado lector tiene hoy en sus manos, consiste nada más —aunque nada menos— en que la recta y correcta escritura de cualquier palabra que hubiese planteado alguna duda en su grafía, queda juguetonamente sugerida mediante un recurso de grato ingenio.

Sin omitir, de paso, referencias a las correspondientes reglas, Beatriz Escalante, siempre original, sorpresiva, creativa y sobre todo recreativa, ofrece un habilidoso recurso de afinidad de la dicción incierta con otra voz, ésta familiar al consultante.

Y así, a lo largo del texto se aclaran incertidumbres y se resuelven perplejidades, acerca de ámbitos ortográficos tan disímiles como pueden ser la acentuación, la pluralización de neologismos, la separación de sílabas; la vacilación entre consonantes homófonas en el español que hablamos en México (*be* y *uve*, *elle* y *ye*; *ce*, *ese* y *zeta*); la hache inicial y la hache intercalada; la duplicación de la *erre* cuando queda intervocálica; los colectivos, la puntuación y, por no citar más tropiezos, la escritura de los verbos.

En resumen: este libro es semejante a un tablero de juego como del parchís, del ajedrez, del *backgammon*; o simplemente el plano de un laberinto; pero con la ventajosa salvedad de que el jugador tiene, de antemano, la seguridad de que, "de todas, todas" las va a ganar, ingeniosamente dirigido por la autora, Beatriz Escalante, como lo fue Teseo en el dédalo de Creta por el hilo de Ariadna.

INTRODUCCIÓN

Desde hace algunos años, tal vez debido a la aparición de mi libro *Curso de redacción para escritores y periodistas*, he recibido numerosas solicitudes de que escriba un manual de ortografía.

No me había decidido a hacerlo, no tanto por falta de voluntad para complacer a quienes confían en mí y sienten, como yo, una gran pasión por conocer los enigmas del uso de nuestro idioma, sino porque me parecía que había en el mercado abundantes volúmenes dedicados a la enseñanza de dicha materia.

Además, la zona más ortográfica de mi alma ya había sido saciada con mi método de Ortografía para niños, *Diccionario Ortográfico Infantil Ilustrado. Ortografía Inolvidable*, el cual se ha convertido —para mi enorme alegría— en un juguete realmente educativo, tanto en México como en otros países de habla hispana. Ese diccionario es una colección de minicuentos, definiciones poéticas e incluso escatológicas de las palabras. Ha regresado a mí, entre risas infantiles, la frase de cómo se escribe correctamente la palabra bacinica: "**B**ac**i**nica se escribe con **b** porque es para el **b**ebé, y contiene una **c**, tú dirás de qué". (Esta fue precisamente la primera palabra inventada por mí, para crear dicho método basado en la asociación.)

Gracias a la escritura de ese libro, he tenido la fortuna de lograr que las personas no olviden que "esta**c**ionamiento" contiene la **c** de "**c**oches"; que "la**v**a" se escribe con **v** de "**v**olcán", así como que "naufra**g**io" nunca lleva **j**, porque en la palabra "naufra**g**io" se esconde la **g** de **g**lu **g**lú.

Creía, en realidad, que mi deuda con el proceso de enseñanza aprendizaje de la ortografía estaba pagada, porque, además, mi *Curso de Redacción para escritores y periodistas* incluye numerosos capítulos de puntuación, acentuación, uso de mayúsculas... Sin embargo, y no obstante el trabajo realizado, la solicitud de que me aplicara a escribir un manual de ortografía seguía persiguiéndome. Los lectores de mis libros, mis entusiastas y activos radioescuchas, así como los periodistas de televisión y radio a quienes he tenido la oportunidad de acompañar en su proceso de capacitación continua me han obligado, a través de sus dudas, a reconocer que siempre hace falta un enfoque distinto para el estudio de una materia tan ardua como la ortografía. A todos ellos agradezco su exigencia. A través de sus dudas descubrí el índice que debía tener esta serie de libros.

No se trata, por lo tanto, de ofrecer de nueva cuenta únicamente las consabidas reglas con sus habituales listas de excepciones. Se trata de relacionar pedagógicamente las dificultades reales y cotidianas con las claves ortográficas para integrar al fin los conocimientos; de construir nuevas generalizaciones, reglas memorables. Por ello, si bien podrás leer la lista de los 11 verbos que terminan en **isar** mientras que hay 290 que lo hacen con **z**: **izar**, por ejemplo, también hallarás actividades lúdicas que te permitan recordarlos.

En esta obra (Tomos II y III) encontrarás la forma completa en que deben conjugarse algunos verbos que causan dificultades o dudas en su ortografía, pues aunque ciertamente no hallarás páginas y páginas de verbos conjugados, sí están los modelos básicos y la lista de aquellos verbos que se comportan con esa misma irregularidad.

Por ejemplo, la presencia de la **j** en el pasado de los verbos terminados en **ducir**, **traer**, (produje, condujimos, dedujeron, contrajeron), y esa incómoda **z** que "aparece" en los verbos de la familia "aparecer": yo apare**z**co...

Justamente para resolver con facilidad esta clase de dudas e incertidumbres he escrito este libro. El objetivo es que consigas aprender mucho en muy poco tiempo. El reaprendizaje será sucesivo y eficaz. Esa es la función de los ejercicios: permitir que te rehabilites pronto; que sustituyas los malos hábitos en tu modo de hablar y escribir.

En este curso descubrirás que la ortografía obedece a la pronunciación; que hay más lógica que arbitrariedades o excepciones en nuestra lengua; y lo más importante: encontrarás los secretos para memorizar fácilmente tanto las reglas como las asociaciones mentales que te harán capaz de recordar las formas correctas.

Mi método está basado en la memoria cotidiana: canciones que ya resuenan en la mente y palabras completas con significado, que se encuentran insertas en otras palabras como ocurre con "misión", pues si tú aprendes que "mi**s**ión" se escribe con **s**, no volverás a equivocarte en su*misión*, re*misión*, ad*misión*, read*misión*, co*misión*, trans*misión*, etc. Basta con que afines la mirada para que descubras palabras dentro de las palabras; es similar a las imágenes en tercera dimensión, que encierran otras imágenes.

Y con este mismo procedimiento procuro que memorices cientos de palabras gracias a que ya escribes sin error la palabra básica o eje, por ejemplo: **g**ente: vi*gente*, re*gente*, diri*gente*, inteli*gente*, intransi*gente*, a*gente*, contin*gente* y otras muchas más que puedes consultar sin dificultad en los capítulos de las **Letras problema** (Tomo II).

A esta nueva forma de abordar la didáctica de la ortografía se suman, desde luego, las rutas y los recursos tradicionales como la enseñanza de prefijos y sufijos. Confío en que esta aportación contribuya a renovar y mejorar la didáctica de la ortografía.

La característica de este método, al cual yo apuesto la posibilidad del reaprendizaje, es la presencia de ejercicios basados en aquellas estructuras a las que Ítalo Calvino llamaba las imágenes icásticas: nítidas, incisivas e inolvidables. Porque hay mayor probabilidad de éxito si se recuerda una palabra con significado, como **g**ente, mi*s*ión o vi*c*io, que aspirar a que las etimologías despierten el interés del público en general. De ahí también la elección de canciones: he seleccionado las más populares, aquellas que forman parte del recuerdo de muchas personas. Y es importante destacar que la propia música facilita el proceso de aprendizaje. Además, he recurrido a frases célebres, sentencias y aforismos. Cedí a la tentación de divertirme y por ello escribí ciertos textos breves que —en verdad lo deseo— harán más agradable el proceso de aprendizaje de algunas terminaciones con **c**, **s**, **z**... (La avari*cia* de Patri*cia*, Anast*asia* y la gimn*asia*, etc.,).

En suma, mediante este libro podrás acceder sin dificultad al aprendizaje de las reglas vigentes, de las soluciones socialmente aceptadas que nos permiten mantener en buen estado una lengua tan viva como cambiante, una lengua que es hablada y escrita con vertiginosa intensidad en 21 países por cientos de millones de personas.

CÓMO USAR ESTE LIBRO

Evidentemente, este volumen puede ser consultado en desorden, sin otra secuencia que la impuesta por el surgimiento de dudas repentinas, las cuales generalmente demandan ser atendidas a toda velocidad. También puede ser revisado sin prisa, página tras página, con la serenidad de quien dispone de un rato para despejar una inquietud antigua o descubrir que ha convivido largo tiempo con un error. Este libro ofrece respuestas breves, didácticas y actualizadas, que aclararán muchísimas dudas ortográficas al consultante eventual.

Sin embargo, el gran beneficio que puede obtenerse de este trabajo pedagógico emerge como consecuencia del estudio ordenado, sucesivo, de los temas. Quien avance página tras página, del modo como se lee una novela, descubrirá que el comprender cabalmente la acentuación de nuestro idioma le facilitará muchísimo la conjugación de los verbos difíciles. Y, asimismo, al captar la lógica de ciertas irregularidades verbales (por qué cambian de z a c o de g a j ciertos verbos) habrá resuelto buena parte de las incógnitas que plantea el uso correcto de estas letras problema.

Todos los ejercicios van numerados de manera continua y su solución está al final, en las **Respuestas a los ejercicios** correspondiente.

Dado que el sentido de esta obra es facilitar la escritura más que satisfacer la curiosidad erudita, ofrezco listas representativas (no exhaustivas). Mi experiencia como profesora y mi sentido común han seleccionado las de los verbos difíciles y las de aquellos términos que provocan dudas a muchas personas casi todo el tiempo. De modo que ruego a mis lectores que si un verbo no aparece en una lista no concluyan precipitadamente que no forma parte del grupo estudiado. Investiguen; no lleguen a conclusiones tan espontáneas como infundadas.

Con el propósito de que el conocimiento no devenga superficial sino que sea profundo, al grado de que se convierta en la respuesta ortográfica inmediata, el libro contiene numerosos ejercicios. Algunos están orientados a fijar el aprendizaje de un tema particular; otros, a poner a prueba dicho aprendizaje y otros más a relacionar temas, pues en la vida, como en el idioma, todo aparece mezclado.

Finalmente, mi mayor gusto sería cambiar la actitud que suele tenerse hacia la ortografía: esa tirana, torturadora maldita, que nos somete a sus caprichos y arbitrariedades. Yo deseo lo contrario: que la ortografía sea vista como el mapa que facilita una expedición. Entiendo que las reglas pueden parecer verdugos, series de instrucciones absurdas que nos amargan la vida. Pero puede ser al revés. En el agitado y revuelto mar del idioma, las reglas son una guía; son las instrucciones cartográficas; las claves para llegar ilesos al puerto de la comunicación.

PRESENTACIÓN PARA DOCENTES

Enseñar ortografía es un gran reto. Conseguir que los estudiantes escriban sin equivocarse se antoja casi imposible, pues por más que nos hemos empeñado en plantearles ejercicios, en ofrecerles reglas en las cuales queda sistematizado el comportamiento de las palabras, por más que les brindamos listas de excepciones y conceptos que en teoría deberían allanar el trabajo, la evidencia sigue siendo desalentadora: en la actualidad, demasiadas personas carecen de autonomía ortográfica.

No se trata únicamente de luchar contra la perniciosa influencia de la publicidad mal escrita (ya sea por ignorancia o por mala voluntad), por ese necio deseo de "llamar la atención" de los posibles consumidores exhibiendo las palabras con un acento ortográfico errado o una letra problema que no es la correspondiente (**g** por **j**, **s** por **z**,). Así, el problema radica en la dificultad de que adquiera el aprendizaje alguien que no se enfrenta por primera a la escritura correcta de las palabras de su propia lengua, porque nuestros alumnos... ojalá fueran ignorantes totalmente, tal vez así sería más fácil. Pero no es así. Cuando los recibimos en secundaria, preparatoria y en la misma universidad, vienen deformados, mal formados, acostumbrados a escribir incorrectamente. Por ello, necesitamos no sólo un método para enseñar sino un método para "reenseñar", un método que reconozca desde sus bases que debe contribuir a que alcancen el éxito en el conocimiento no aquellos que nada saben, sino los que saben mal. Luchamos, pues, no únicamente contra la ignorancia sino contra el error convertido en hábito, y lo que es peor, contra ciertos prejuicios, porque quienes estamos en las aulas sabemos que mucha gente odia la ortografía, la desprecia o la considera inútil: una especie de abuso institucional. Y, para colmo, surgen también las reglas falsas, las que el inconsciente se atreve a inventar en la mente de cada individuo. Por ejemplo, he visto casos de gente que coloca acento ortográfico en la última sílaba de cualquier palabra que termine en **n**: "bailarón, pelearón"... Tal vez, me digo, ese es el resultado del ingreso parcial y equivocado de la regla de las palabras agudas en un cerebro distraído.

Pensando en esto: en la necesidad del reaprendizaje, en la generalizada presencia de los prejuicios ortográficos, en el incesante bombardeo de errores al que somos sometidos cuando leemos periódicos, revistas y anuncios espectaculares, he desarrollado un método que, desde sus bases, reconoce estos problemas y adversidades. Debemos reenseñar para que las personas reaprendan, y no partir de la soñadora idea, de que nuestros alumnos simplemente necesitan aprender, como si fueran extranjeros que se aproximaran por primera vez a la escritura del español.

La primera estación de mi método es el reconocimiento de un grave error pedagógico: el uso de la palabra *acento* como si fuera sinónimo de *tilde*, de acento ortográfico, porque cuando el estudiante entiende que hay una sílaba más sonora dentro de cada palabra, y que a esa se le pone el "acento", ha metido para siempre los pies en un pantano, pues no habrá manera de que distinga entre el acento ortográfico y el prosódico y menos aún lograremos que no les ponga tilde a todas las palabras en esa vocal en donde "le suena más fuerte". De nada sirve explicar los conceptos "acento prosódico" y "acento ortográfico" si después los propios profesores nos referiremos al ortográfico con el nombre de "acento". Con esta inocente práctica, arraigada en la docencia mexicana desde hace décadas, creamos el primer barranco en lugar de tender un puente didáctico inequívoco. De ahí que el primer paso sea proponer la restitución del nombre *tilde* para denominar al acento ortográfico.

En cuanto a los conceptos *diptongo*, *hiato*, *triptongo* y *división silábica* habrán de dejar de ser ideas ajenas, independientes de la escritura, para convertirse en conocimiento empírico aplicable antes de iniciar el aprendizaje de las *palabras agudas*, *graves*, *esdrújulas* y *sobresdrújulas*. Ya que mientras los alumnos no distingan cabalmente un diptongo, por ejemplo, no podrán separar en sílabas una palabra, mucho menos clasificarla y jamás podrán colocar tildes donde sea conveniente ni mucho menos dejar de ponerlas en donde no van. ¿Por qué o cómo

habrían de dejar de escribir "nuéz" (con tilde) aunque nos escu-
chen repetir hasta el cansancio que las palabras monosílabas no
llevan tilde desde hace medio siglo? ¿De qué manera darían el
salto cuántico que los llevaría a descubrir que la palabra nuez es
monosílaba si no han aplicado el conocimiento del *diptongo*?

La adecuada administración de los conceptos, con sus indispensables ejercicios, es la condición irrecusable para que los
estudiantes lleguen a comprender que hay palabras agudas que
no llevan tilde como *pastel*, *azar*, *tenaz*, *feliz* y todos los verbos
en infinitivo: *beber*, *venir*, *vivir*, *amar*, etc. Obviar la enseñanza
de las palabras que sólo llevan acento prosódico provoca,
desgraciadamente, la falsa creencia de que las palabras agudas
son exclusivamente esas "que terminan en n, s o vocal"; que no
hay más. Y el mismo argumento vale para las graves.

Si no se ha entendido el *hiato*, jamás desamarraremos el
infeliz error de que medio mundo nos desee "felíz Navidad". Sólo
enseñando la razón por la cual "raíz" y "maíz" sí llevan tilde, pero
"feliz" y "matriz" no la llevan provocaremos un cambio importante. Depende de nosotros que haya "carnicerías" y no "carnice-
rias"; "cafeterías" y no "cafeterias"; gente pensante al escribir y
no imitadores irreflexivos.

No es recomendable, en consecuencia, permitir que nadie
lance la primera tilde si no está libre de pecado ortográfico, *si no
ha entendido hasta el fondo que no todas las palabras tienen tilde
en español, aunque todas tienen acento*. En tanto no se muestre
el mapa general de las palabras y no se subraye el hecho de que
muchísimas son agudas o graves sin tilde, es decir, que tienen
acento, sí, indudablemente, pero que es prosódico, el riesgo de la
confusión permanecerá.

La experiencia muestra que no pueden darse por sentadas
ciertas conjeturas. Es indispensable hacer explícito aquello que
los sistemas educativos anteriores han dejado implícito, como
las palabras agudas y graves sin acento ortográfico, por ejemplo,
pues la realidad insiste en demostrarnos que los estudiantes
no han logrado llenar esos espacios vacíos con su propio
pensamiento.

Si no se conoce en la práctica el *diptongo*, si no se le identifica dentro de una palabra, ¿de qué serviría una lección de
monosílabas?, ¿en qué terreno fértil caería la regla actualizada

que sentencia: "las palabras monosílabas no llevan tilde, a excepción de las diacríticas"?

Para alcanzar el verdadero aprendizaje no sólo es decisivo qué enseñamos sino cómo lo enseñamos, cuál es la secuencia que decidimos seguir, cuáles las dosis que administraremos y cada cuándo. Atiborrar con todas las reglas a un estudiante es como obligar a un enfermo a que ingiera cantidades despiadadas de medicina aunque, desde luego, le hagan mucha falta. Del mismo modo como se le debe conceder al cuerpo cierto tiempo para absorber la medicina, los estudiantes deben recibir sólo las dosis de información que puedan realmente absorber y aprovechar antes de recibir la siguiente descarga de reglas ortográficas.

Realizando experimentos didácticos, he llegado a la conclusión de que es más eficaz enseñar primero las palabras esdrújulas (pues todas tienen tilde sin importar con qué letra terminen). Con este cambio, que es dado por supuesto a través de canciones y actividades divertidas, resulta menos difícil enseñar graves y agudas sobre la base de que cada uno de estos dos grupos tiene la característica definitoria de que su volcán sonoro siempre está en la última sílaba (agudas) y en la penúltima sílaba (graves), pero que no siempre lleva tilde. Gracias a esta comprensión, el cerebro ya puede recibir las reglas y excepciones de cada grupo. Una vez que han entendido esdrújulas, graves y agudas, es muy fácil enseñar sobresdrújulas.

En este libro he procurado la concatenación para alcanzar el aprendizaje.

Para enseñar *graves* después de *esdrújulas* no traigo a escena cualquier palabra grave, sino precisamente aquellas que perderán la tilde al ser graves y que la tenían obviamente al ser esdrújulas: orígenes, origen; exámenes, examen; volúmenes, volumen. Es comprensible que "examen" no lleve tilde por dos motivos: no es esdrújula sino grave terminada en **n**. Ese es el momento para reenseñar la regla de las graves como espejo invertido de las agudas. Para integrar el conocimiento, finalmente debe repetirse con agudas y graves la misma operación: "canción" (aguda) "canciones" (grave), "alemán" (aguda), "alemanes" (grave), "francés" (aguda), "francesa" (grave).

El conocimiento que ya se ha asimilado es la base sobre la que habrá de colocarse el siguiente puente. Sin embargo no basta con que se desamarren antiguos errores ortográficos como

"exámen"; resulta decisivo que practiquen lo que han reflexio-
nado con ejercicios en donde se muestran palabras esdrújulas
que frecuentemente se escriben mal en singular al mantener la
tilde. Así, pues, el ejercicio no se realiza con cualquier tipo de
palabras, sino con aquellas que hemos visto frecuentemente mal
escritas en todas partes en nuestros días. Las palabras seleccio-
nadas para los reactivos de los ejercicios no son cualesquiera,
son palabras alumbradoras, pues son de uso cotidiano; son las
palabras que al ser por fin bien escritas por los alumnos, serán
descubiertas como equivocadas en anuncios y volantes. Esto
vuelve útil y gratificante el conocimiento.

Finalmente, el empleo de canciones como material didáctico
es alegre, divertido, grato y también está vinculado con la vida
diaria. Despierta simpatía por una materia ancestralmente
ardua. Recomiendo, además del uso de los materiales ofrecidos
en este libro, el trabajo en talleres supervisados: que los estudiantes elijan canciones de su gusto, las que estén de moda y
cuya letra conozcan, para reforzar cada aprendizaje. Es conveniente emplear una canción para cada tema, acaso para relacionar dos temas, pero no para ejercitarlos todos, pues la propia
canción quedará en el recuerdo y afianzará lo aprendido: termi-
nará por convertirse en el símbolo didáctico al que recurrirá la
mente en caso de extravío. Por ejemplo, en este libro, me he
valido de la canción *Pénjamo*, que canta Pedro Infante, para
introducir el tema de las palabras esdrújulas, y para evaluar el
aprendizaje, *Señora de las cuatro décadas* de Ricardo Arjona. Si
se careciera de reproductor de discos, basta la buena voluntad
de todos: se divide el grupo en cantantes y público y se trabaja
sobre lo que los propios alumnos van cantando. Es lúdico y los
resultados educativos son excelentes.

En la segunda parte de este volumen, se aborda la puntuación. Si bien hay una presentación exhaustiva de reglas para su
uso correcto, los ejercicios han sido diseñados para combatir los
errores clásicos: confusión del vocativo con el sujeto del enunciado; falta de coma ya sea de incicio o cierre en las ideas incidentales, y separación de un sujeto largo de su verbo principal
con una coma errónea.

En general, el espíritu pedagógico de los ejercicios es mantener alerta a los estudiantes ofreciéndoles actividades inteligen-
tes, integradoras, incluso capciosas para impedir que contesten

como autómatas y el esfuerzo devenga inútil, mecánico. Porque enseñar, compartir el conocimiento, hacer más fácil la vida de quienes se hallan en el proceso de aprendizaje es un privilegio, un acto de generosidad, un reto que nos transforma y nos incita a crecer. Este método ha sido diseñado con ese propósito: contribuir a que sea más grata y acertada la experiencia de conocer nuestro idioma.

ACENTUACIÓN Y PUNTUACIÓN

TOMO I

PRIMERA PARTE

ACENTUACIÓN

LOS ACENTOS
(ortográfico y prosódico)

En realidad, no es difícil aprender a acentuar correctamente en español. En otras lenguas el reto es mayor, pues encontramos varios tipos de acentos. En francés, por ejemplo, existen el agudo, el grave y el circunflejo.

Y si bien es innegable que hay idiomas más fáciles en lo relativo a acentuación (en inglés, jamás nos enfrentaremos al problema de colocar "rayitas" inclinadas sobre las vocales); en español podremos hacerlo fácil y correctamente con muy poco esfuerzo. Sólo se trata de aprender a "escuchar" las palabras antes de saltar sobre ellas con el puñal de la tinta para tatuarlas.

En este libro aprenderemos por qué la palabra **ti** jamás se acentúa, mientras que la palabra **tu**, a veces sí y a veces no. Por qué no lleva tilde la palabra fel**iz**, pero sí ma**íz**. Por qué alem**án** sí y por qué alem**ana** no.

El verdadero secreto del éxito está en **contar**. A partir de este momento, déjate conducir como si fuera la primera vez que lo intentaras. Procura no pensar en las reglas que aprendiste de memoria y que nunca has podido poner en práctica.

Aprender a acentuar es como aprender a bailar. Hay que decir adiós a las malas experiencias que en otros tiempos hayamos tenido; simplemente se trata de relajarse y hallar el ritmo. Desde luego, al principio, no nos quedará más remedio que contar y contar. Pero después, sin que nos demos cuenta, lo haremos de manera correcta y espontánea.

En español todas las palabras tienen acento; pero no todas llevan tilde.

Uno de los obstáculos mentales para escribir sin errores es la idea confusa (ambigua, equívoca) de la palabra "acento". Muchas personas creen que en donde suena más fuerte la palabra, ahí es necesario colocar una rayita (acento ortográfico). Esto es falso porque:

> En español todas las palabras tienen acento. (Unas lo tienen ortográfico, también llamado tilde, y las demás lo tienen prosódico, o sea que suena pero nunca se escribe.)

Ejercicio 1

Anota **F** para **f**also o **V** para **v**erdadero, según convenga. Lee varias veces las palabras entrecomilladas hasta que "oigas" en qué parte suena más fuerte cada una.

1. ( ) La palabra "acento" no lleva acento ortográfico (tilde).

2. ( ) Cuando usamos la palabra "acento" para referirnos **al acento ortográfico** provocamos confusión, pues también existe el **acento prosódico**. Por eso, en adelante, procuraremos decir **tilde**.

3. ( ) **Tilde** es el nombre correcto y breve del **acento ortográfico**.

4. ( ) El acento prosódico coincide con el punto más alto de entonación de cada palabra. Ejemplo: "Isabel" no lleva rayita (tilde) en bel y, ahí es donde tiene su acento prosódico. "Beto" suena "Beto".

5. ( ) La palabra "amor" no tiene acento ortográfico (o tilde), pero sí acento prosódico en la sílaba "mor". Se pronuncia igual que "calor", "sabor" y "favor".

6. ( ) La palabra "amo" suena más fuerte en la letra "a", pues se pronuncia igual que "Ana".

7. ( ) La ortografía sirve para dejar indicada por escrito la manera en que pronunciamos las palabras cuando hablamos. Es un mapa, una especie de clave morse heredable de generación en generación. Es también un código fácil de comprender por los extranjeros que desean hablar, leer y escribir correctamente nuestro idioma.

Las palabras del siguiente ejercicio están bien escritas. Analízalas. Donde no veas tilde, o sea, *acento ortográfico*, es que hay *acento prosódico*. No puede tener los dos: o tiene uno o tiene el otro.

Acostúmbrate a la idea de que *todas las palabras tienen acento, unas lo tienen prosódico (solamente suena; **no** se escribe) y otras ortográfico (**sí** se escribe: es la rayita sobre una determinada vocal).*

Ejemplo: ví̲bora   acento ortográfico
La zona que suena más fuerte es la formada por la sílaba "ví".
Pronuncia **víbora** separada en sílabas y lo notarás: ví̲-bo-ra.

serp̲iente   acento prosódico

La zona que suena más fuerte es la formada por la sílaba "pien".
Pronuncia **serpiente** separada en sílabas y lo notarás: ser-p̲ien-te.

Ejercicio 2

Escribe en la línea de la derecha si la palabra tiene acento ortográfico o prosódico.

1. mantel _____
2. mango _____
3. periódico _____
4. televisión _____
5. radio _____
6. editorial _____
7. sandía _____
8. director _____
9. tinta _____
10. papel _____

Trabaja con las mismas palabras. Sepáralas en sílabas. *El ejercicio se efectúa con el oído no con la vista.* Escúchate al pronunciarlas. Descubrirás que no siempre van de dos en dos, ni de tres en tres. Salen, al parecer, arbitrariamente. Hay sílabas de una letra y sílabas de cuatro. Si quieres encontrarlas, dilas en voz alta, sin forzarte; déjalas salir naturalmente de tu boca y anótalas.

Ejemplo: ciudad   ciu-dad

Automáticamente se dividen de tres en tres. Sólo haciendo trampa, podrías pronunciar "ci-u-da-d", o para que fueran en pares: "ci-ud-ad". **Para separar correctamente en sílabas hay que escuchar, no que inventar.**

Recuerda que la ortografía es la sombra de la pronunciación. Es una copia escrita del trabajo que realizan primero la boca y el oído.

Ejercicio 3

Practica la separación silábica. No te equivoques. Escúchate con atención.

1. mantel
2. mango
3. periódico
4. televisión
5. radio
6. editorial
7. sandía
8. director
9. tinta
10. papel

No es raro que, cuando alguien quiere referirse a la experiencia de haberse librado de un problema o peligro diga: "me salvé por un pelo". Esta forma tan coloquial, que a veces se expresa en diminutivo: "me salvé por un pelito" tiene su origen en una historia de barcos y marineros.

Ejercicio 4

Afina tu percepción. Adquiere el hábito de mirar las palabras. Encuentra las 7 *diferencias* y subráyalas.

Salvarse por los pelos.

No solamente en la época actual las personas se disgustan cuando les ordenan usar el pelo corto. En el año 1809 se dictó un mandato que obligaba a los marineros a cortárselo. Abundaron las protestas. Uno de los artilleros escribió una carta al rey José I Bonaparte, para explicarle que llevar el pelo largo era muy útil, pues en su mayoría los marineros no sabían nadar y si alguno caía al agua, lo podían jalar de la melena. La carta fue leída y la ley derogada. Y así los marineros quedaron autorizados a *salvarse por los pelos.*

Salvarse por los pelos.

No solamente en la época actual las personas se enojan cuando les mandan usar el pelo corto. En 1809 se dictó una orden que obligaba a los marineros a cortárselo. Abundaron las quejas. Uno de los artilleros envió una carta al rey José I Bonaparte, para explicarle que llevar el cabello largo era muy útil, porque en su mayoría los marineros no sabían nadar y si alguno caía al agua, lo podían jalar de la melena. La carta fue leída y la ley derogada. Y así los marineros quedaron autorizados a *salvarse por los pelos.*

Ejercicio 5

Separa en sílabas las 7 palabras diferentes del ejercicio anterior.

1. _____   1. _____

2. _____   2. _____

3. _____   3. _____

4. _____   4. _____
5. _____   5. _____
6. _____   6. _____
7. _____   7. _____

Ejercicio 6

Revisa la separación silábica de 20 palabras. **Pronuncia de forma natural**. No se trata de saber reglas. ¡**Escúchate**!

Anota en el paréntesis la **C** de **c**orrecta o la **I** de **i**ncorrecta para cada una. Cuando sea incorrecta, escríbela bien tú en la línea de la derecha.

#	( )	palabra	
1.	( )	Pa-o-la	_____
2.	( )	Lu-is	_____
3.	( )	Lu-cí-a	_____
4.	( )	edi-to-rial	_____
5.	( )	edit-orial	_____
6.	( )	e-di-to-ri-al	_____
7.	( )	leo-par-do	_____
8.	( )	Ra-úl	_____
9.	( )	Raúl	_____
10.	( )	go-lon-dri-na	_____
11.	( )	gol-on-drina	_____
12.	( )	Pa-rís	_____
13.	( )	Pa-rí-s	_____
14.	( )	a-ve	_____
15.	( )	ave	_____
16.	( )	len-gu-a	_____
17.	( )	len-gua	_____
18.	( )	va-ca-ci-on-es	_____
19.	( )	va-ca-cion-es	_____
20.	( )	va-ca-cio-nes	_____

Ejercicio 7

Lee el siguiente refrán. A continuación identifica las palabras mal separadas.

> El marido que no da y el cuchillo que no corta, que se pierdan poco importa.
>
> El mar-ido que no da y el cu-chi-llo qu-e no cor-ta que se pi-er-dan poco im-por-ta.

Para colocar sin error **tildes** (acentos ortográficos) es necesario conocer las palabras. Aprendamos a clasificarlas.

Obsérvalas y piensa qué tienen en común.

verdad	color	alas	ola	cine
teatro	bailes	fiesta	feo	fea
guapo	guapa	linda	loco	loca
semilla	caracol	pez	mares	pan
Ana	Pedro	Laura	Luisa	Teresa
Sonia	Pilar	Rodolfo	Luis	Rafael

Efectivamente lo que tienen en común es que ninguna lleva tilde (acento ortográfico). Esto nos conduce a una conclusión muy importante: **no hay que poner tilde en todas las palabras sólo porque una de sus sílabas suena más fuerte.**

Ejercicio 8

Oye cada palabra. Mírala también. Pronúnciala en voz alta. Observa cómo salen las sílabas naturalmente de tu boca y sólo entonces contesta este ejercicio. Debes subrayar la sílaba más sonora de cada palabra.

ver-dad	co-lor	a-las	o-la	ci-ne
te-a-tro	bai-les	fies-ta	fe-o	fe-a
gua-po	gua-pa	lin-da	lo-co	lo-ca
se-mi-lla	ca-ra-col	pez	ma-res	pan
A-na	Pe-dro	Lau-ra	Lui-sa	Te-re-sa
So-nia	Pi-lar	Ro-dol-fo	Luis	Ra-fa-el

¿Qué les pasó a *pan* y a *pez*? ¿Por qué cada palabra completa constituye exactamente la sílaba que suena más fuerte? ¿Por qué no se separan en dos sílabas como *ola* y *Ana* (o-la, A-na) aunque todas ellas tienen sólo tres letras (*pan, pez, ola, Ana*)?

Porque si bien es cierto que son tres letras, en un caso hay dos vocales con una consonante en medio y en otro es al revés: una vocal entre dos consonantes.

Ahora pronuncia: Ana, pez, pan, ola. Observa cómo se independiza la **A** de **A**na; la **o** de **o**la; pero queda unida la *p* a *pan*, y lo mismo ocurre con la *p* de *pez*.

Ejercicio 9

Todas las palabras que aparecen a continuación son de tres letras. Realiza correctamente la separación silábica (cuando sea necesaria, obviamente).

1. voy _____   6. cal _____
2. esa _____   7. ama _____
3. con _____   8. dos _____
4. ley _____   9. era _____
5. sin _____   10. son _____

Volvamos ahora al caso de Luis y Luisa. *Luis* es un nombre de <u>una sílaba</u>; *Luisa* es de <u>dos sílabas</u>. (Luis: 1, Lui-sa: 2).

En español <u>no</u> todas las palabras llevan tilde (acento ortográfico).

Ejemplo: hermana
Busca la vocal en donde se hace un volcán de sonido.
No es en "her", ni en "na"; es en "ma", ¿verdad? Pronunciamos "her<u>ma</u>na".
En la sílaba "ma" se halla el acento prosódico. Esta palabra no lleva tilde (acento ortográfico).
Por favor no te desesperes. Estamos realizando una secuencia

indispensable para desaprender ciertos hábitos equivocados de colocar tildes donde no es correcto. Este ejercicio es el primer paso para que dejes de escribir equivocadamente <u>las palabras</u> <u>"volúmen", "nuéz", "felíz", "exámen" y muchas otras que</u> **no llevan tilde jamás**.

Muy pronto estudiaremos cuándo sí llevan tilde las palabras y por qué. Antes, es fundamental que refuerces este pensamiento: **No porque suene fuerte lleva tilde** (acento ortográfico).

Ejercicio 10

Analiza las siguientes palabras. **Ninguna lleva tilde** (acento ortográfico).

En cada palabra hay una zona que suena más fuerte. Subráyala. (Si no la encuentras en la lectura silenciosa, lee en voz alta varias veces hasta que identifiques la letra o grupo de letras donde hay una elevación sonora.)

Ejemplos:	sensual	sen<u>sua</u>l	gorda	<u>gor</u>da
	calavera	cala<u>ve</u>ra	feliz	fe<u>liz</u>

verde	color	alas	ola	cine
bailes	fiesta	feo	fea	bolsa
guapo	guapa	linda	loco	loca
semilla	caracol	fecha	mares	pan
Ana	Pedro	Laura	Luisa	Teresa
Sonia	Pilar	Rodolfo	Luis	Rafael

Ejercicio 11

Identifica las palabras monosílabas (de una sola sílaba). Subráyalas.

1. jerez
2. nuez
3. vez
4. tez
5. juez

6. Inés
7. vienés
8. es
9. tres
10. eres

Para estar en condiciones de colocar tildes sin error, es preciso aprender en la práctica unos cuantos conceptos más: **hiato, diptongo** y **sílaba**.

Comencemos diciendo que en español sólo hay cinco vocales:

a   e   i   o   u

Se consideran vocales fuertes la **a**, la **e** y la **o** porque abrimos la boca para pronunciarlas. Para la **i** y la **u** nos hacemos de la boca chiquita. A estas dos se les llama débiles. Es común también llamarlas *abiertas* (a, e, o) y *cerradas* (i, u).

Ejercicio 12

Clasifica las 5 vocales de nuestra lengua en débiles y fuertes:

Son fuertes _____

Son débiles _____

Ejercicio 13

Elige la respuesta correcta y anótala junto al número.

1. ____
La **a**, la **e** y la **o** son vocales fuertes porque:

a) Tenemos que abrir la boca para pronunciarlas.
b) No hay una sola palabra en español en donde no aparezcan.
c) Aparecen en todas las groserías.

2. ____
La **i** y la **u** son vocales débiles porque:

a) Fue un hombre débil quien las inventó.
b) Debilitan a quien las usa en su vocabulario.
c) Apenas abrimos la boca para pronunciarlas.

Diptongo

El diptongo es la unión de dos vocales (una fuerte y una débil, o dos débiles). **Su característica fundamental es que ambas se pronuncian juntas.**

Ejemplos: v*ia*je, *ai*re, ag*ua,* c*ua*l, c*iu*dad, c*ui*dado, d*ie*nte, s*ei*s, *oi*gamos equilibr*io,* *Eu*ropa, f*ue*nte.

Observa que no importa si primero va la vocal fuerte o la débil. Lo decisivo es que **nunca se dicen juntas dos vocales fuertes.** Aunque las saques de tu boca a toda velocidad, siempre hay una pausa mayor que cuando se trata de dos vocales débiles o de la combinación de una débil con una fuerte.

Ejemplo: aeropuerto. Haz el intento de decir aeropuerto como si dijeras aire. ¡No pudiste!, ¿verdad? Y no es posible porque las dos vocales fuertes exigen ser pronunciadas independientemente.

Por eso, "aeropuerto" se divide así: a-e-ro-puer-to.

Las sílabas no miden siempre lo mismo. Dependen de la pronunciación.

Hay sílabas de una sola letra y otras de varias.

Una vocal puede formar una sílaba; una consonante, no.

Recuerda:

El **diptongo** es la unión de dos vocales (una débil y una fuerte, o dos débiles que no llevan acento ortográfico porque se pronuncian en una sola emisión de voz, o como quien dice: al mismo tiempo).

Ejemplo: L*au*ra. La *a* es fuerte y la *u* es débil, y forman un diptongo porque cuando decimos "Laura" no nos detenemos entre la *a* y la *u.*

Ahora fíjate en el ejemplo con dos vocales débiles que forman diptongo: S*ui*za. La *u* es débil y la *i* también.

Ejercicio 14

Corta en sílabas las siguientes palabras. Este ejercicio no se realiza con la vista sino con el oído. **Oye** bien cada palabra para que seas capaz de separarlas correctamente. Fíjate en los diptongos.

1. ansiedad _____		5. cuerpo _____
2. flauta _____		6. Guanajuato _____
3. evacuar _____		7. Venezuela _____
4. cuaderno _____		8. Guadalajara _____

El estudio de la división silábica nos permitirá poner las tildes adecuadamente. Ahora hagamos un repaso de **diptongos**.

Ejercicio 15

Estudia las siguientes palabras.
Encierra en un rectángulo aquellas en las que **no haya diptongos**.

1. aeromoza	6. tuvieron	11. jaula
2. farmacia	7. baile	12. hacienda
3. libélula	8. salsa	13. reina
4. tango	9. mambo	14. suelo
5. tienen	10. juez	15. teatro

Ejercicio 16

Las siguientes palabras son las mismas con las que trabajaste en el ejercicio anterior. Subraya los diptongos. Hazlo cuidadosamente.

1. aeromoza	6. tuvieron	11. jaula
2. farmacia	7. baile	12. hacienda
3. libélula	8. salsa	13. reina
4. tango	9. mambo	14. suelo
5. tienen	10. juez	15. teatro

Ejercicio 17

Encuentra dos vocales juntas en cada una de las siguientes palabras. Encierra en un rectángulo únicamente los diptongos.

1. oigo
2. cae
3. cuate
4. silencio

5. fantasma
6. computadora
7. violín
8. aeropuerto

9. Isaías
10. Lilia
11. enfermería
12. enfermo

La combinación de dos vocales débiles (iu, ui) o de una débil con una fuerte (ai, ei, oi, au, eu ou) constituye un **diptongo**. Esto significa que pronunciaremos en una sola emisión de voz las dos vocales juntas.

Hiato (también se le conoce como **adiptongo**)

Cuando rompemos un diptongo con el acento ortográfico lo que formamos es un **hiato**. (O sea que no diremos en una sola salida de voz las dos vocales, sino que las separaremos.)

Analicemos la palabra "tintorería". Usemos otra palabra para comparar cómo suena:

Como tengo mala **memoria** mejor voy de una vez a la **tintoreria**.

(Aquí "tintoreria" suena igual que "memoria".)

Pero la verdad es que suena así:

María trabaja en la tintorería.

Aquí vemos que "tintorería" suena como "María" y no como "memoria". ¿Cierto? Pues para que eso quede claro por escrito hace falta romper el diptongo, es decir, formar un hiato colocando la tilde sobre la "i". O sea: señalar con un acento ortográfico que la "i" y la "a" no se pronuncian juntas.

El hiato es el recurso ortográfico con el que podemos indicar que en donde hay dos vocales candidatas a ser diptongo nosotros necesitamos separarlas, porque así suena la palabra realmente cuando la decimos.

Tintore**ria** (diptongo).   Tintore**ría** (hiato).
Incorrecto   **Correcto**

En conclusión: puesto que "tintorería" no suena como "memoria"; sino que decimos "tintorería" como "María" es indispensable poner el acento ortográfico sobre la **í**.

La separación silábica no será:

tin-to-re-ria, sino   tin-to-re-rí- a   Pronúnciala y verás
Incorrecto   **Correcto**
4 sílabas   5 sílabas

Ejercicio 18

Revisa la lista de palabras. Escribe **C** de **c**orrecto o **I** de **i**ncorrecto en los paréntesis. Las vocales marcadas con negritas pueden ser hiatos o diptongos.

( ) 1. consultor**io**   (Se pronuncia como <u>diptongo</u>: *juntas* la **i** y la **o**.)

( ) 2. paleter**ía**   (Se pronuncia como <u>hiato</u>: *separadas* la **í** de la **a**.)

( ) 3. histor**ia**   (Se pronuncia como <u>diptongo</u>: *juntas* la **i** y la **a**.)

( ) 4. anatom**ía**   (Se pronuncia como <u>hiato</u>: *separadas* la **í** de la **a**.)

( ) 5. laborator**io**   (Se pronuncia como <u>diptongo</u>: *juntas* la **i** y la **o**.)

( ) 6. memor**ia**   (Se pronuncia como <u>diptongo</u>: *juntas* la **i** y la **a**.)

ORTOGRAFÍA CON MÚSICA 𝄞

Ejercicio 19

Lee la canción. Siete palabras necesitan tilde. En todas hace falta por la misma razón: formar un hiato, es decir, romper un diptongo. Léelas cuidadosamente y piensa si la manera en que están escritas coincide con la forma en que se pronuncian.

LA ADELITA
(Corrido revolucionario)

En lo alto de una abrupta serrania
acampado se encontraba un regimiento
y una moza que valiente lo seguia
locamente enamorada del sargento.

Popular entre la tropa era Adelita,
la mujer que el sargento idolatraba,
porque a más de ser valiente era bonita
y hasta el mismo coronel la respetaba.

Y se oia que decia
aquel que tanto la queria:

[...]

Si Adelita se fuera con otro,
la seguiria por tierra y por mar,
si por mar en un buque de guerra,
si por tierra en un tren militar.

Y si Adelita fuera mi novia,
y si Adelita fuera mi mujer,
le compraria un rebozo de seda
para llevarla a bailar al cuartel.

Ejercicio 20

Falso o **V**erdadero. Contesta por favor.

1. ( ) En la palabra "encontraría" hay un hiato.

2. ( ) En la palabra "encuentro" hay un diptongo.

3. ( ) En la palabra "encontrar" hay acento prosódico.

4. ( ) En la palabra "encontraré" hay acento ortográfico.

5. ( ) Para no confundirnos con los dos tipos de acentos, procuraremos decirle **tilde** al acento ortográfico. Es más corto. Es más práctico.

Ejercicio 21

Completa los enunciados.

1. En la palabra "encontraría" hay un hiato.
   El hiato es _____.
2. En la palabra "encuentro" hay un diptongo.
   El diptongo es _____ .
3. En la palabra "encontrar" hay acento prosódico.
   El acento prosódico está en la sílaba _____ .
4. En la palabra "encontraré" hay acento ortográfico".
   El acento ortográfico, mejor llamado **tilde**, está en la sílaba:_____ .

Ejercicio 22

Piensa en los conceptos esenciales de la acentuación.

Repasa lo que has aprendido. Relaciona acertadamente las dos columnas.

1. Es la ruptura de un diptongo. Se logra colocando una tilde sobre la vocal débil.

( ) acento prosódico

2. Coincide con la zona más sonora de cada palabra. Sólo se pronuncia, no se escribe.

( ) sílaba

3. Conjunto de dos vocales que se pronuncian en una sola sílaba. Han de ser dos débiles o una fuerte y una débil.

( ) acento ortográfico

4. Tilde o rayita oblicua que, en español, se escribe sobre las vocales, atendiendo a las reglas de ortografía.

( ) hiato

5. Es la vocal o conjunto de letras que se pronuncian en una sola emisión de voz. Una consonante no podría formarla.

( ) diptongo

Ejercicio 23

Elige la respuesta correcta y anótala aquí: _____
La palabra **tilde** es un sinónimo de:

a) sílaba

b) acento prosódico

c) hiato

d) ortografía

e) acento ortográfico

f) diptongo

Ejercicio 24

Lee con mucha atención pues los enunciados podrían ser capciosos. Señala **V** de **v**erdadero o **F** de **f**also poniendo la inicial en el paréntesis.

1. ( ) Hay diptongo siempre que dos vocales están juntas. No importa si son débiles, fuertes o si están combinadas.

2. ( ) Hay diptongo cuando dos vocales juntas se pronuncian en la misma emisión de voz. Esto es posible porque una es fuerte y la otra débil. O porque las dos son débiles.

Ejercicio 25

1. Lee el siguiente texto. Su autor es Luis Britto García.

2. Revisa todos los diptongos que están subrayados.

3. Copia en la línea la única palabra con hiato: _____.

El adelanto mental

Mucho peor que el atraso mental, el azote del adelanto mental hace que los niños se anticipen en su cociente de inteligencia y comiencen de una vez a pensar como adultos, lo cual los hace enteramente necios. Un niño atacado de este mal, a los cinco años puede mostrar una edad mental propia de un hombre de cuarenta y cinco —lo que no es decir mucho— y a los nueve una propia de un viejo de noventa, con su correspondiente insistencia en que todo tiempo pasado fue mejor, el vicio de dar consejos, la manía de que lo respeten y otros síntomas de estupidez. En su etapa terminal, las víctimas acaban como políticos o como maestros de juventudes.

Ejercicio 26

Lee las siguientes noticias. Analiza las palabras subrayadas y coloca las tildes en donde haga falta. Únicamente se trata de que marques los hiatos. Pronuncia antes de decidir.

1. Hay seis candidatos a la alcaldia de los Ángeles.

2. Las franquicias no sólo han invadido el negocio de la tintoreria en México, ahora penetran en el de la panaderia sin que nadie se les enfrente.

3. La economia de una nación desarrollada no puede dictar los modelos y ritmos de desarrollo de todos los paises, declaró un representante de la Secretaria de Hacienda y Crédito Público.

4. Tia Rosa es una marca de pan. Lástima que se llame con falta de ortografia.

ORTOGRAFÍA CON MÚSICA ♪

Ejercicio 27

Lee la canción *Dios no lo quiera*. **Dos palabras están equivocadas**, porque no tienen tilde (acento ortográfico), o sea que están escritas como si se pronunciaran como diptongo y no como hiato.

Identifícalas y escríbelas en estas dos líneas:

_____   _____

DIOS NO LO QUIERA
(Compositor: E. Sánchez Alonso)

Dios no lo quiera
pero presiento que has dejado de quererme
en estos dias se te nota diferente
se han vuelto frias tus caricias de repente.

Dios no lo quiera
porque mi vida está cifrada en tu cariño
y si le quitas el poquito que le tienes
qué voy a hacer, si todo para mí tú eres.

[...]

Dios no lo quiera
porque mi vida está cifrada en tu cariño
y si le quitas el poquito que le tienes
qué voy a hacer, si todo para mí tú eres.

Ejercicio 28

Aprecia que al pronunciar la palabra "farmacia", de nuestra boca salen sin interrupción las letras "**ia**"; mientras que al decir "papelería", hacemos una imperceptible separación entre la "**i**" y la "**a**" precisamente para que suenen separadas. Por ello es un grave error no colocar tilde sobre la "**i**" de "papelería". No importa que esté escrita la palabra exclusivamente con letras mayúsculas.

Coloca tilde sobre la **i** cuando haga falta, para que la escritura de la palabra corresponda con su pronunciación.

1. Farmacia	6. libreria	11. ferreteria
2. galeria	7. CAFETERIA	12. muebleria
3. Tintoreria	8. veterinaria	13. PAPELERIA
4. Polleria	9. Iglesia	14. dulceria
5. CARNICERIA	10. paqueteria	15. TABAQUERIA

Ejercicio 29

Observa cada palabra.

1. Anota una **D** para **d**iptongo y una **H** para **h**iato en la raya de la izquierda.

2. En la raya de la derecha copia el diptongo o el hiato, no olvides la tilde.

3. En la línea de la extrema derecha, separa la palabra en sílabas.

(En las palabras en que no haya ni hiato ni diptongo anota la inicial **N** de **n**o tienen. Sepáralas por sílabas también.)

1. ___ Austria   _____ _____

2. ___ Venezuela   _____ _____

3. ___ Etiopía   _____ _____

4. ___ Gran Bretaña   _____ _____

5. ___ Polonia   _____ _____

6. ___ Colombia   _____ _____

7. ___ Vietnam   _____ _____

8. ___ Bélgica   _____ _____

9. ___ Turquía   _____ _____

10. ___ Senegal   _____ _____

Si tuviste todas las respuestas correctas, ya eres capaz de estudiar tildes (acentos ortográficos) en todas las demás palabras de nuestro idioma. De lo contrario, vuelve a las páginas anteriores, ya que de acuerdo con el método que propongo en este libro, el aprendizaje es escalonado y no lograrás tener éxito si continúas antes de haber aprendido a la perfección la separación silábica, los hiatos y los diptongos.

Ejercicio 30

Nota que las siguientes palabras tienen sólo tres o cuatro

letras. Pronúncialas correctamente y divídelas en sílabas. Coloca tildes donde haga falta.

1. oido   _____

2. oigo   _____

4. odio   _____

3. via   _____

Ejercicio 31

Anota **C** de correcto o **I** de incorrecto.

1. (   ) *oigo* se divide en <u>2 sílabas</u> *oi-go*

2. (   ) *oído* se divide en <u>3 sílabas</u> *o-í-do*

3. (   ) *vía* se divide en <u>2 sílabas</u> *ví-a*

4. (   ) *vial* no se divide: es monosílaba

5. (   ) *odio* se divide en <u>2 sílabas</u> *o-dio*

Palabras monosílabas

Recuerda que el prefijo **mono** *significa* **uno**. Es <u>mono</u>teísta quien cree en un solo dios, y <u>mono</u>sílaba se denomina a la palabra que consta exclusivamente de una sílaba. Las religiones que rinden tributo a varios dioses son <u>poli</u>teístas y las palabras que tienen varias sílabas son <u>poli</u>sílabas.

Para facilitarnos la vida, desde hace medio siglo se ha recomendado no poner tildes en las monosílabas.

Ejercicio 32

Las siguientes palabras son monosílabas. Anota **C** de **c**orrecta en el paréntesis correspondiente.

1. ( ) nuez ( ) nuéz   3. ( ) fin   ( ) fín
2. ( ) fe   ( ) fé   4. ( ) fue   ( ) fué

En general, las monosílabas nunca deberán llevar tilde. La **excepción** existe, por supuesto, y **son los acentos diacríticos**: si (condicional), sí (enfático, afirmativo); mas (pero), más (cantidad mayor); aún (todavía), aun (hasta, incluso), etc. Son muy pocas, porque incluso la pareja "fue" y "fué" con la que se diferenciaba el verbo "ser" del verbo "ir" ha pasado a la historia de la ortografía . Por lo que poner tilde a "fue" constituye un arcaísmo.

Estudia los acentos diacríticos más adelante.

Sabemos que para reconocer las palabras monosílabas hace falta mucho más que sólo ver su tamaño. Evidentemente son cortas. Pero, sobre todo, es necesario recordar los diptongos.

Ejercicio 33

Subraya los diptongos en cada una de las siguientes palabras. Copia exclusivamente las palabras monosílabas.

> yo dos doy fin a da no soy rey ley la en les los un
> fe su ver ya dar vez ve hoy hay me lo y la ay hay
> son pie cal pie col sal sin tan pon pus luz tus Pepe
> mis Luis Juan juez nuez miel tren den bien buen flor
> mar ten con ley Chuy dual huy mil seis chin tal por
> cual nos chal vio don di rey o e ti fue fui da di sol
> con en tras guau cruel piña bien Ana ti tu res crin

Monosílabas con diptongo _____

_____

_____

_____

_____

_____

Ejercicio 34

Subraya las palabras monosílabas con diptongo.

piel   diez   bien   nunca   tren
sol   miel   cien   nuez

Ejercicio 35

Observa las siguientes palabras, piensa cuáles son monosílabas y cópialas en el recuadro. (Nota que todas terminan en y.)

Uruguay, hay, Monroy, rey, soy, doy, ley, convoy, Godoy.

Son monosílabas: _____

_____

ORTOGRAFÍA CON MÚSICA 𝄞

Ejercicio 36

Lee la canción.

1. Subraya las palabras que terminan en *y*. Analízalas e indica cuáles son *mono*sílabas (1 sílaba) y cuáles *bi*sílabas (2 sílabas). Realiza en esta línea la separación silábica de las bisílabas. Obviamente las monosílabas no se separan.

---

2. Aprovecha para corregir cuatro palabras a las que les falta tilde: son hiatos no señalados.

LA LEY DEL MONTE
(Compositor: J.A. Espinosa)

Grabé en la penca de un maguey tu nombre
unido al mio, entrelazados
como una prueba de la ley del monte
que allí estuvimos enamorados.

[...]

Ahora dices que ya no te acuerdas
que nada es cierto, que son palabras
yo estoy tranquilo porque al fin de cuentas
en nuestro idilio las pencas hablan.
La misma noche que mi amor cambiaste
también cortaste aquella penca
te imaginaste que si la veian
pa' ti sería como una afrenta.

Se te olvidaba que el maguey sabia
lo que juraste en nuestra noche
y que a su modo él también podia
recriminarte con un reproche.
No sé si creas las extrañas cosas
que ven mis ojos, tal vez te asombres,
las pencas nuevas que al maguey le brotan
vienen marcadas con nuestros nombres.

Ejercicio 37

Lee los siguientes dichos. Aplica tus conocimientos y *copia en el renglón correspondiente las palabras de una sola sílaba, o sea monosílabas*. Fíjate bien.

Recuerda que según sea el número de vocales y consonantes, así como la manera en que estén acomodadas, **ocurre a veces** que una palabra de tres letras sí puede dividirse y, en cambio, una de cuatro no. Si te hace falta, repasa el concepto de "diptongo".

1. Buscarle tres pies al gato.
2. Ser muy águila.
3. Atáscate ora que hay lodo.
4. Cada quien con su cada cual.
5. Como me la pinten brinco, y al son que me toquen bailo.
6. Cuando Dios da, da a manos llenas.
7. La ley del embudo.

Copia aquí las palabras monosílabas:

_____

Triptongos

Observa estas dos onomatopeyas: *guau*, m*iau*, y deduce qué es un triptongo.

Exactamente: un triptongo es la unión de *tres vocales* en una sola sílaba. Es decir, tres vocales que se pronuncian en una sola salida o emisión de voz. Y como ya sabemos que dos vocales fuertes juntas nunca forman sílaba, pues necesariamente *el triptongo se forma con la combinación de dos vocales débiles y una fuerte.*

C*uau*tla, Camag*üey* (la **ü** con diéresis sí suena), acaric*iái*s, etc.

Si no somos capaces de reconocer un triptongo, lo más probable es que tengamos muchas dificultades para separar correctamente las palabras al final del renglón, así como para saber si llevan acento ortográfico o no. Por lo que, por favor y por tu futuro, es muy importante que consideres esto:

1. Si hay tilde sobre la *i* o sobre la *u*, aunque sean tres vocales no hay triptongo. (Se formaría un hiato ía, úa, ío, etc.) **En la vocal fuerte sí puede haber tilde en un triptongo.**

2. La *y* al final de la palabra sí cuenta: vale por *i*.

Las palabras monosílabas son las que tienen una sílaba nada más. (Ya las estudiamos.)

3. La *u* que sí suena también vale. (Recuerda que no suena en *guerra*, ni en *quien*, pero sí en *buey* y *pingüino*.)

Ejercicio 38

Subraya los triptongos.

1. buey	6. Uruguay
2. ley	7. Cuautla
3. ahuehuete	8. venisteis
4. aguacate	9. bilingüe
5. Paraguay	10. huauzontle

Ejercicio 39

Observa la siguiente palabra: **buey**.

Piensa cada pregunta y contesta. Sólo debes anotar la inicial
V para **v**erdadero o **F** para **f**also.

1. ( ) Es monosílaba.

2. ( ) La *y* del final funciona como <u>consonante</u>.

3. ( ) La *y* del final funciona como <u>vocal</u>. Suena como *i*
latina.

4. ( ) Puesto que la *y* final suena como vocal (i latina), esta
palabra es monosílaba.

5. ( ) La palabra *buey* contiene un triptongo: tres vocales
inseparables. Se pronuncian juntas.

Ejercicio 40

Amplía tus conocimientos acerca del *buey.*
1. El buey es un macho vacuno castrado.
2. El plural es *bueyes.*
3. El dicho: *El buey habló y dijo ¡Mú!* alude a los animales
ignorantes como el buey y el asno, que en las fábulas repre-
sentan a ciertas personas torpes y faltas de opinión, las cuales
invariablemente dicen una obviedad cuando por fin hablan.
4. En México, al que es muy *buey* se le llama *güey.* Como
pronunciamos "güey" y no "guey", la *u* sí suena; pero por estar
situada después de una *g* se escribe con diéresis (*güey*). Así,
aunque con otra escritura, el *buey* siempre tiene triptongo.

Aprecia las siguientes frases hechas. Todas incluyen la
palabra *buey.*

Al que nace para buey del cielo le caen las astas.
Buey viejo no pisa la mata, y si la pisa ya no la maltrata.
El que por su gusto es buey hasta la coyunda lame.
Fíjate bien con qué buey aras.
Tener cerebro de pájaro en cráneo de buey.
El agua para los bueyes; el vino para los reyes.

AMPLÍA TU VOCABULARIO

Ejercicio 41

Elige una opción

1. **Coyunda** significa:
   a) Vara de membrillo con que se acicatea a los bueyes que van en pareja.
   b) Correa fuerte y ancha o soga de cáñamo con que se uncen los bueyes.
   c) Comida para bueyes.

   _____

2. **Asta** (va sin h y admite plural: astas) significa:
   a) Vara.
   b) Obligación.
   c) Cuerno.

   _____

3. **Hasta** es:
   a) Una preposición que indica límite. Llegaré hasta la meta. Viajaremos hasta Colima.
   b) Un palo para ondear banderas.
   c) La cornamenta de bestias como ciervos y bueyes.

   _____

Ejercicio 42

Marca con una **M** de **m**anía la opción correcta. (La única diferencia es la presencia o ausencia de tilde.)

1. ( ) cleptomania   ( ) cleptomanía
2. ( ) erotomanía   ( ) erotomania
3. ( ) nosomanía   ( ) nosomania
4. ( ) dipsomania   ( ) dipsomanía
5. ( ) narcomanía   ( ) narcomania
6. ( ) fagomania   ( ) fagomanía
7. ( ) megalomanía   ( ) megalomania

Ejercicio 43

Evidentemente todas las palabras del ejercicio anterior se escriben con "hiato". (Recuerda que el hiato es la ruptura o disolución del diptongo. En este caso formado por las vocales "ia". Pronunciamos "man**í**a". A diferencia de la palabra fobia que sí contiene diptongo.)

¿En qué consiste cada manía? Entérate relacionando correctamente las dos columnas.

1. Tendencia patológica al hurto.   (   ) Fagomanía

2. Delirio de grandeza.   (   ) Erotomanía

3. Tendencia a sentirse enfermo. Tam-   (   ) Nosomanía
   bién se le conoce como hipocondr*ia*
   (con diptongo).

4. Impulso irresistible y morboso por las (   ) Megalomanía
   bebidas alcohólicas.

5. Enajenación mental caracterizada   (   ) Cleptomanía
   por un delirio de "amor".

6. Inclinación exagerada, morbosa, por   (   ) Dipsomanía
   la comida.

Ejercicio 44

Aprende las formas de gobierno. Marca con una X la palabra *mal escrita.*

1. (   ) aristocracia   (   ) aristocracía
2. (   ) monarquia   (   ) monarquía
3. (   ) democracia   (   ) democracía
4. (   ) plutocracia   (   ) plutocracía

AMPLÍA TU VOCABULARIO

Ejercicio 45

1. **plutocracia** significa:
   a) Predominio de la clase más adinerada en el gobierno de un país.
   b) Tipo de sistema colonial dirigido por razas europeas sobre razas americanas.
   c) Gobierno utópico en donde todos mandan por sí mismos sin representantes.

Ejercicio 46

Escribe **F** para **f**also o **V** para **v**erdadero.

1. ( ) Al gobierno ejercido exclusivamente por mujeres se le llama **ginecocracia**.
2. ( ) Al gobierno ejercido por unas cuantas familias *ricas* y poderosas se le llama **plutocracia**.
3. ( ) Al gobierno ejercido por unas cuantas familias poderosas se le llama **oligarquía**.
4. ( ) La **sinarquía** es el gobierno constituido por varios príncipes, cada uno de los cuales administra una parte del territorio. Por extensión, se usa para referirse a los estados "independientes" en los cuales un grupo de empresas comerciales o de personas poderosas tiene influencia, generalmente decisiva, en los asuntos económicos y políticos de orden nacional.
5. ( ) Al gobierno ejercido por los más ancianos se le llama **gerontocracia**.
6. ( ) En realidad, la **jerarquía** es el orden existente entre los coros de los ángeles y los grados de la iglesia. También se usa esta palabra para hacer referencia a la gradación de personas, valores o dignidades.

Ejercicio 47

Coloca las tildes que hagan falta.

1. cinematografia	6. GEOGRAFÍA
2. bibliografia	7. ORTOGRAFÍA
3. CINEMATOGRAFÍA	8. ortografia
4. geografia	9. Pornografia
5. GEOGRAFIA	10. PORNOGRAFIA

Actualización en tildes

Observa las palabras. Una tiene tilde y la otra no. ¿Podrían ser correctas ambas? Piensa: ¿cuál de las dos formas usas tú? ¿De qué manera las pronuncias habitualmente?

(Tiene hiato)	(Tiene diptongo)
1. policíaco	policiaco
2. período	periodo
3. austríaco	austriaco
4. zodíaco	zodiaco
5. afrodisíaco	afrodisiaco

Tú ya sabes a la perfección la diferencia entre un hiato y un diptongo. Pues bien, de origen, estas palabras se escribían con hiato porque se pronunciaban con el acento ortográfico sobre la **í**.

Se decía **zo-dí-a-co, pe-rí-o-do, aus-trí-a-co, po-li-cí-a-co** y **a-fro-di-sí-a-co**.

¿Qué ha pasado? Pues que ahora, por lo general, la gente pronuncia: **zo-dia-co, pe-rio-do, aus-tria-co, po-li-cia-co** y **a-fro-di-sia-co**.

Actualmente, las dos formas son correctas. Y durante algunos años más todavía seguirán siendo consideradas así. Sin embargo, poco a poco, por la fuerza del uso, decirlo con hiato acabará convirtiéndose en un arcaísmo, en una palabra del pasado, porque los hablantes de hoy prefieren la pronunciación con diptongo.

La única condición estilística para no incurrir en error es ser congruente. O sea, no escribas **policíaco** en un párrafo y tres párrafos más adelante **policiaco**. Si redactas un par de páginas en donde aparezcan cualquiera de estas palabras no es conveniente emplear una grafía y luego la otra. Elige una y no cambies. (No uses una escritura en el capítulo 1 de tu tesis y otra para el resto del libro.) No hace falta que corrijas el pasado. Y en lo referente al futuro, sugiero ir adquiriendo la costumbre de escribir y pronunciar estas palabras con diptongo. Ahí está el porvenir.

Repasemos cuáles son las vocales débiles y cuáles las fuertes. (Este conocimiento es indispensable para separar correctamente las palabras y, en consecuencia, colocar tildes sin equivocarnos.)

Repaso:

1. Las vocales fuertes son "**a**", "**e**", "**o**".
2. Las vocales débiles son "**i**", "**u**".
3. Las vocales fuertes no pueden ser pronunciadas juntas.
4. Dos vocales débiles sí pueden ser pronunciadas juntas.
5. Una vocal fuerte y una débil sí pueden ser pronunciadas juntas.

(A la unión de una vocal fuerte con una débil o de dos débiles se le llama *diptongo*.)

ORTOGRAFÍA CON MÚSICA 𝄞

Ejercicio 48

Separa en sílabas las dos palabras subrayadas en la siguiente canción: _____   _____

QUE SEAS FELIZ
(Compositora: Consuelo Velázquez)

Que <u>seas</u> feliz, feliz, feliz
es todo lo que pido
en esta despedida
no pudo ser
después de haberte amado tanto
por todas esas cosas tan absurdas

[...]

<u>Siempre</u> podrás contar conmigo
no importa donde estés
al fin que ya lo ves
quedamos como amigos
y en vez de maldecirte
con reproches y con llanto
yo que te quise tanto
pido que seas feliz, feliz, feliz.

Mira con atención las siguientes palabras:

Grupo 1				
Palabra	**Núm. de letras**	**División silábica**	**Núm. de sílabas**	**Tipo**
seas	4	se-as	2	bisílaba
leo	3	le-o	2	bisílaba
ves	3	ves	1	monosílaba

Grupo 2				
Palabra	**Núm. de letras**	**División silábica**	**Núm. de sílabas**	**Tipo**
rey	3	rey	1	monosílaba
muy	3	muy	1	monosílaba
soy	3	soy	1	monosílaba

Por favor, aunque te dé flojera, compara la información de los dos rectángulos y contesta el cuestionario. TODAS LAS RESPUESTAS ESTÁN AHÍ. No se trata de ver si recuerdas reglas aprendidas en tu vida anterior, sino de que te esfuerces por deducir. **Piensa con ejemplos**.

Ejercicio 49

Anota **F** de **f**also o **V** de **v**erdadero.

1. (   ) La palabra "seas" es monosílaba, porque es muy chiquita.
2. (   ) La palabra "s**oy**" es monosílaba, porque el sonido **oi** es un diptongo. (Si se escribe "s**oy**" y no "s**oi**" es porque la "i" se encuentra al final de la palabra. Lo mismo ocurre con b**uey**. No escribimos b**uei**. De igual manera lo correcto es "car**ay**" y no "car**ai**", "car**ey**" y no "car**ei**".)
3. (   ) La letra **i** forma diptongo con la **a**, la **e** y la **o** (<u>ai</u>re, t<u>ie</u>ne, <u>oi</u>go). Asimismo, la letra **i** se convierte en **y** al final de las palabras (ha<u>y</u>, le<u>y</u>, vo<u>y</u>).
4. (   ) Aunque sólo tenga 4 letras, la palabra "seas" se divide "se-as", porque nuestra boca no permite pronunciar juntas la "**e**" y la "**a**". (Ambas son vocales fuertes.) Hacemos una pausa brevísima, casi imperceptible, entre las dos letras.

5. ( ) En la palabra "muy" pronunciamos juntas la "**u**" y la "**y**". Ambos sonidos son de vocales débiles. No hay ninguna pausa. Por eso la palabra consta únicamente de una sílaba: es monosílaba.

Ejercicio 50

Ahora **piensa en términos abstractos**.
Anota **F** de **f**also o **V** de **v**erdadero.

1. ( ) Todas las palabras que tienen <u>cuatro letras</u> son monosílabas. Ejemplos: seas, buey.
2. ( ) Lo que determina que una palabra sea de una sílaba o de varias no es el número de letras, sino su combinación (si hay hiatos o grupos de vocales fuertes que deberán pronunciarse separadas, o si hay diptongos y entonces ciertas vocales han de pronunciarse juntas: en una misma sílaba).
3. ( ) Cuando una palabra tiene diptongo, dicho diptongo queda en la misma sílaba.
4. ( ) Cuando dos vocales fuertes están juntas habrá separación aunque la palabra sea chiquita.
5. ( ) La letra **i** forma diptongo con la "**a**", la "**e**" y la "**o**" (<u>ai</u>re, t<u>ie</u>ne, <u>oi</u>go). Asimismo, la letra "**i**" se convierte en "**y**" al final de las palabras (h<u>ay</u>, l<u>ey</u>, v<u>oy</u>).

ORTOGRAFÍA CON MÚSICA

Ejercicio 51

Lee los títulos de las canciones.
Subraya únicamente las palabras en las cuales los diptongos "**ai**", "**ei**", "**oi**" se convierten en "**ay**", "**ey**", "**oy**".

HASTA HOY	TE QUIERO ASÍ
TODO ME GUSTA DE TI	QUE SEAS FELIZ
VOY A APAGAR LA LUZ	SABOR A MÍ
HAY QUE OLVIDAR	TUYA SOY
SOY LO PROHIBIDO	EL REY

Palabras esdrújulas

Las palabras esdrújulas siempre llevan tilde.

brújula	**brú**-ju-la
cállate	**cá**-lla-te
estímulos	es-**tí**-mu-los
víbora	**ví**-bo-ra
exámenes	e-**xá**-me-nes

Para tener éxito con una palabra esdrújula es preciso comprender:

1. Que no importa con qué letra termine.

2. Que sólo hace falta recordar que la sílaba tónica, (o sea, donde suena más fuerte la palabra) es la número 3 contando de derecha a izquierda, o sea, del final al principio de la palabra.

ORTOGRAFÍA CON MÚSICA 𝄞

Ejercicio 52

Lee la canción. Hay 3 palabras esdrújulas a las que les falta su tilde (acento ortográfico). Escríbelas correctamente en los siguientes espacios:

1. _____

2. _____

3. _____

PESO SOBRE PESO
(Compositor: Chava Flores)
Mira, Bartola,
ahi te dejo esos dos pesos,
pagas la renta,
el *telejono* y la luz;
de lo que sobre
coge de *ahi* para tu gasto,
guardame el resto
para echarme mi alipuz.

Tú no aprecias mis centavos
y los gastas que da horror;
yo por eso no soy rico;
por ser despilfarrador.

Si te alcanza pa'la criada,
pos le pagas de un jalón;
tienes peso sobre peso
aunque no pasen de dos.
Guardate algo pa' mañana
que hay que ser conservador;
ya verás como te ahorras
pa' un abrigo de visón.

Mira, Bartola.

Ejercicio 53

Piensa cuáles de los días de la semana son palabras esdrújulas.
Son _____

Ejercicio 54

Reflexiona. Contesta **F** de falso o **V** de verdadero.

1. ( ) Las palabras esdrújulas siempre llevan tilde.
2. ( ) Las palabras esdrújulas nunca llevan tilde.
3. ( ) La tilde es el acento ortográfico.
4. ( ) La tilde es el acento que sólo se pronuncia.
5. ( ) Las esdrújulas tienen su tilde en la tercera sílaba contando de izquierda a derecha (*del principio al final de la palabra*).
6. ( ) Las palabras esdrújulas tienen su tilde en la tercera sílaba contando de derecha a izquierda (*del final al principio de la palabra*). Esta oración es la inversa de la anterior.

Ejercicio 55

Lee los siguientes dichos. Corrige los errores en palabras esdrújulas.
1. Acostandome con Luz, aunque me apaguen la vela.

2. Casamiento de pobres, fabrica de limosneros.

3. Cansado de velar cadaveres y no muertos con cabeza de cerillo como tú.

¿Por qué la palabra "volúmenes" sí lleva tilde y la palabra "volumen", no?

Pues por la misma razón por la que "exámenes" sí lleva tilde y "examen", no, ¿no? Entonces busquemos un mejor argumento. Pues porque tanto "volúmenes" como "exámenes" son esdrújulas. Mientras que "examen" y "volumen" son graves y terminan en la letra "n".

Vayamos poco a poco para desentrañar por fin esta aburridísima dificultad que supone contar sílabas y andar mirándoles la cola a las palabras para ver si su última letra es: "n", "s" o "vocal".

Empecemos por las esdrújulas que son las más fáciles de todas. Las reconocemos porque son las que suenan más fuerte en la antepenúltima sílaba, es decir, en la 3ª contando del final al principio.

Ejemplo: ejército (e-**jér**-ci-to)
                     4ª **3ª** 2ª 1ª

Regla inolvidable:

Toda palabra esdrújula se comporta como su nombre lo indica: esdrújula   es-**drú**-ju-la
                                                 4ª **3ª** 2ª 1ª

1. Suena más fuerte en la **3ª sílaba contada del final al principio** del renglón. O sea de derecha a izquierda.

2. **Siempre lleva tilde sin importar la letra en que termine**.

Ejemplos:

fáciles   **fá**-ci-les   (termina en "s") Tiene 3 sílabas.
ilógico   i-**ló**-gi-co   (termina en "o") Tiene 4 sílabas.
rápida   **rá**-pi-da   (termina en "a") Tiene 3 sílabas.

Ejercicio 56

Indentifica todas las palabras esdrújulas de la siguiente canción (fragmento). Subráyalas.

En noche lóbrega, galán incógnito, las calles céntricas atravesó y bajo clásica ventana gótica templó su cítara y así cantó: Virgen purísima, de faz angélica, que entre las sábanas durmiendo estás, despierta y óyeme que entre mis cánticos suspiros prófugos escucharás...

Copia las esdrújulas en orden de aparición:

1. _____   7. _____
2. _____   8. _____
3. _____   9. _____
4. _____   10. _____
5. _____   11. _____
6. _____   12. _____

ORTOGRAFÍA CON MÚSICA 𝄞

Ejercicio 57

Lee la canción *Pénjamo*.

1. Subraya las **esdrújulas**.

2. Una palabra esdrújula a la que le falta tilde es: _____

PÉNJAMO
(Compositor: Rubén Méndez)

Ya vamos llegando a Pénjamo
ya brillan allá sus cúpulas.

De Corralejo parece un espejo
mi lindo Pénjamo,
sus torres cuatas
son dos alcayatas
prendidas al sol.

Su gran variedad de pájaros
que silban de puro júbilo,
y ese paseo de Churipitzeo
que tiene Pénjamo,
es un suspiro
que allá en Guanguitiro
se vuelve canción.

Que yo parecía de Pénjamo
me dijo una de Cuerámero,
voy, voy, pos ora
pos mire, señora,
que soy de Pénjamo,
lo habrá notado por lo atravesado
que somos de allá.

Al cabo por todo Mexico
hay muchos que son de Pénjamo,
si una muchacha te mira y se agacha
es que es de Pénjamo,
o si te mira y luego suspira
también es de allá.
[...]

ORTOGRAFÍA CON MÚSICA 𝄞

Ejercicio 58

Subraya todas las palabras esdrújulas y asegúrate de que a ninguna le falte su tilde (acento ortográfico).

Disfruta de la canción *Señora de las cuatro décadas* de Ricardo Arjona.

SEÑORA DE LAS CUATRO DECADAS
(Compositor: Ricardo Arjona)

Señora de las cuatro decadas
y pisadas de fuego al andar
su figura ya no es la de los quince
pero el tiempo no sabe marchitar
ese toque sensual
y esa fuerza volcanica de su mirar.

Señora de las cuatro decadas,
permitame descubrir
qué hay detrás de esos hilos de plata
y esa grasa abdominal
que los aerobicos no saben quitar.

[...]
Porque notelo, usted, al hacer el amor
siente las mismas cosquillas
que sintió hace mucho más de veinte
nótelo así de repente
es usted amalgama perfecta
entre experiencia y juventud.

Señora de las cuatro decadas,
usted no necesita enseñar
su figura detrás de un escote;
su talento está en manejar
con más cuidado el arte de amar.

Señora de las cuatro decadas,
no insista en regresar a los treinta
con sus cuarenta y tantos encima,
deja huellas por donde camina
que la hacen dueña de cualquier lugar.

[...]
Cómo sueño con usted, señora, imaginese
que no hablo de otra cosa que no sea de usted
qué es lo que tengo que hacer, señora,
para ver si se enamora de este diez años menor.

[...]

Ejercicio 59

Contesta **F** para **f**also y **V** para **v**erdadero:

1. ( ) Las palabras esdrújulas tienen la sílaba tónica (o sea la parte que suena más fuerte) en la tercera sílaba contando del final al principio de la palabra.

2. ( ) Las palabras esdrújulas se comportan como su nombre lo indica: es-drú-ju-las. Por eso siempre llevarán tilde en la 3ª sílaba contando del final al principio de la palabra, sin importar con qué letra terminen.

3. ( ) Las palabras graves también se comportan como su propio nombre lo indica: graves. Oye la palabra "grave": "gra" suena más fuerte que "ve". Tienen la zona más sonora en la 2ª sílaba contando del final al principio de la palabra y no llevan tilde cuando terminan en "s" ni tampoco en "n" ni en vocal (a, e, i o, u).

Ejercicio 60

Revisa si las palabras han sido clasificadas correctamente **E** para esdrújulas y **G** para graves. Ninguna tiene faltas de ortografía.

1. (G) volumen
2. (E) volúmenes
3. (E) origen
4. (E) orígenes
5. (G) examen
6. (E) exámenes
7. (E) resumen
8. (E) resúmenes
9. (G) joven
10. (E) jóvenes

Son correctos los números _____
Son **in**correctos los números _____

Ejercicio 61

Corrige las tildes en los siguientes anuncios. Sólo hay errores en palabras graves y esdrújulas.

1. Aumente el volúmen de su cabello usando champú ecologico *Madre naturaléza.*
2. Conoce tus origenes. Leo el tarot, la mano y la bola de cristal.
3. ¿Te quedaste sin escuela? Te preparamos para cualquier exámen de admisión.
4. Examenes psicologicos. Precios accesibles.

Palabras graves

Son aquellas que tienen la zona más sonora (sílaba tónica) en la segunda sílaba. (Como siempre, se cuenta del final al principio de la palabra, o sea de derecha a izquierda.)

Distingamos en la práctica las palabras graves de las esdrújulas.

Ejercicio 62

Señala qué palabras son esdrújulas y cuáles son graves escribiendo una **E** o una **G** según corresponda. Léelas antes de contestar y verás cómo las reconoces con el oído.

1. ___ hipócrita
2. ___ cálculo
3. ___ origen
4. ___ orígenes
5. ___ volumen

6. ___ volúmenes
7. ___ examen
8. ___ exámenes
9. ___ germen
10. ___ gérmenes

Efectivamente, mientras que las palabras **esdrújulas** tienen la zona más sonora en la **antepenúltima** contando al revés, de atrás para adelante, o sea del final al principio; las graves la tienen en la penúltima. (Aprecia que la sílaba tónica no cambia: es ri en "origen", "orígenes"; es xa en examen y exámenes; es lu en volumen y volúmenes y es jo en joven y jóvenes. La tilde es correcta en las formas esdrújulas; pero en las graves no, porque todas estas palabras teminan en "n": origen, volumen, examen y joven.)

Oye atentamente:

CORRECTO	INCORRECTO	INCORRECTO	CORRECTO
origen	origenes	orígen	orígenes
examen	examenes	exámen	exámenes
volumen	volumenes	volúmen	volúmenes
joven	jovenes	jóven	jóvenes

Estudiemos el caso de "origen" y "orígenes". En ambas palabras, tanto en singular como en plural, la parte más sonora está en el mismo sitio: ambas suenan más fuerte en la sílaba "ri". ¿Cierto?

Veamos: o-"ri"-gen   o-"rí"-ge-nes.

Pero la sílaba "ri" está en la tercera sílaba en "orígenes" y en la segunda en "origen" y esto hace la gran diferencia: "orígenes" es esdrújula y "origen" es grave.

Como pertenecen a diferente clan, grupo o tribu, se comportan de distinta manera.

Ejercicio 63

¿Cuántas faltas de ortografía tiene esta pobre palabra?

1. aurita
   - a) una
   - b) ninguna
   - c) dos

2. hocacion
   - a) ninguna
   - b) dos
   - c) tres

3. riata
   - a) dos
   - b) ninguna
   - c) una

4. inivision
   - a) ninguna
   - b) cuatro
   - c) tres

Las palabras graves nunca llevarán tilde cuando terminen en n, s o vocal.

Ejemplos: examen, **buzo**, **olas**, **vuelve**.

Pero sí tendrán tilde cuando **su letra final** sea **cualquier otra consonante**.

Ejemplos: lápiz, ónix, cáncer, hábil, álbum, etc.

Palabras agudas

Ejercicio 64

Observa muy detenidamente las siguientes palabras. Cuando lo hayas hecho, sepáralas en sílabas. Recuerda lo que has aprendido de diptongos a la hora de realizar la división silábica. Finalmente, copia la palabra y subraya la sílaba que suena más fuerte. Ejemplo:

interrogación   in- te- rro- ga-ción   interro<u>ción</u>
balón   ba-lón   ba<u>lón</u>

1. Lul**ú**   _____   _____
2. buz**ón**   _____   _____
3. comp**ás**   _____   _____
4. cantar**ás**   _____   _____
5. inauguraci**ón**   _____   _____
6. sent**í**   _____   _____
7. atenci**ón**   _____   _____
8. soñ**é**   _____   _____
9. volver**á**   _____   _____
10. pantal**ón**   _____   _____

Ahora ya sabes que cuando una palabra tiene su curva sonora en la última sílaba llevará tilde _si y sólo si_ termina en **n**, **s**, **a**, **e**, **i**, **o**, **u**. (Recuerda que: **n**, **s**, o **vocal**, es la misma regla en su forma más sintética. Así la aprendiste en la primaria.)

ORTOGRAFÍA CON MÚSICA 𝄞

Ejercicio 65

Lee la canción _Cuando vuelva a tu lado._
1. Observa las palabras subrayadas. <u>Son agudas.</u> Suenan más fuerte en la última sílaba.
2. Hay una palabra <u>esdrújula</u> subrayada. Anótala:_____

CUANDO VUELVA A TU LADO
(Compositora: María Greever)

Cuando vuelva a tu lado
no me niegues tus besos
que el amor que te he dado
no podrás olvidar.

[...]

Cuando vuelva a tu lado
y esté solo contigo
las cosas que te digo
no repitas jamás por compasión.

Une tu labio al mío
y estréchame en tus brazos
y cuenta los latidos
de nuestro corazón.
Cuando vuelva a tu lado
y esté solo contigo... (etc.)

Ejercicio 66

Descubre con el oído dónde suena más fuerte cada una de las siguientes palabras. Una vez que hayas subrayado la sílaba tónica (la más sonora), decide si lleva tilde (acento ortográfico) o no. Debes contestar acertadamente a todas pues el reto es muy fácil.

Todas las palabras del ejercicio pertenecen al grupo de las agudas: son las que suenan más fuerte en la última sílaba y llevan tilde cuando terminan en n, s o vocal (a, e i, o, u). En todos los demás casos, no. Ejemplo:

Anota **F** *para* **f***also o* **V** *para* **v***erdadero.*

(**V**) La palabra **sensación** se clasifica como **aguda** porque su sílaba más sonora es la última.

Marca con una **C** la opción **c**orrecta, dependiendo de cada palabra. De las ocho posibilidades elige solamente una.

( ) No lleva tilde porque no termina en **n**, ni en **s**, ni en **a**, ni en **e**, ni en **i**, ni en **o**, ni en **u**.

(C) Sí lleva tilde porque termina en **n** ( ) Sí lleva tilde porque termina en **s**

( ) Sí lleva tilde porque termina en **a** ( ) Sí lleva tilde porque termina en **e**

( ) Sí lleva tilde porque termina en **i** ( ) Sí lleva tilde porque termina en **o**

( ) Sí lleva tilde porque termina en **u**

1. ( ) La palabra **gobernabilidad** se clasifica como **aguda** porque su sílaba más sonora es la última.

Marca con una **C** la opción correcta, dependiendo de cada palabra. De las ocho posibilidades elige solamente una.

( ) No lleva tilde porque no termina en **n**, ni en **s**, ni en **a**, ni en **e**, ni en **i**, ni en **o**, ni en **u**.

( ) Sí lleva tilde porque termina en **n** ( ) Sí lleva tilde porque termina en **s**

( ) Sí lleva tilde porque termina en **a** ( ) Sí lleva tilde porque termina en **e**

( ) Sí lleva tilde porque termina en **i** ( ) Sí lleva tilde porque termina en **o**

( ) Sí lleva tilde porque termina en **u**

2. *Anota* **F** *para falso o* **V** *para verdadero.*

( ) La palabra **fiscal** se clasifica como **aguda** porque su sílaba más sonora es la última.

Marca con una **C** la opción correcta, dependiendo de cada palabra. De las ocho posibilidades elige solamente una.

( ) No lleva tilde porque no termina en **n**, ni en **s**, ni en **a**, ni en **e**, ni en **i**, ni en **o**, ni en **u**.

( ) Sí lleva tilde porque termina en **n** ( ) Sí lleva tilde porque termina en **s**

( ) Sí lleva tilde porque termina en **a** ( ) Sí lleva tilde porque termina en **e**

( ) Sí lleva tilde porque termina en **i** ( ) Sí lleva tilde porque termina en **o**

( ) Sí lleva tilde porque termina en **u**

3. *Anota* **F** *para falso o* **V** *para verdadero.*

( ) La palabra **cobrará** se clasifica como **aguda** porque su sílaba más sonora es la última.

Marca con una **C** la opción **c**orrecta, dependiendo de cada palabra. De las ocho posibilidades elige solamente una.

( ) No lleva tilde porque no termina en **n**, ni en **s**, ni en **a**, ni en **e**, ni en **i**, ni en **o**, ni en **u**.

( ) Sí lleva tilde porque termina en **n** ( ) Sí lleva tilde porque termina en **s**

( ) Sí lleva tilde porque termina en **a** ( ) Sí lleva tilde porque termina en **e**

( ) Sí lleva tilde porque termina en **i** ( ) Sí lleva tilde porque termina en **o**

( ) Sí lleva tilde porque termina en **u**

4. *Anota* **F** *para falso o* **V** *para verdadero.*

( ) La palabra **volvió** se clasifica como **aguda**   porque su sílaba más sonora es la última.

Marca con una **C** la opción **c**orrecta, dependiendo de cada palabra. De las ocho posibilidades elige solamente una.

( ) No lleva tilde porque no termina en **n**, ni en **s**, ni en **a**, ni en **e**, ni en **i**, ni en **o**, ni en **u**.

( ) Sí lleva tilde porque termina en **n** ( ) Sí lleva tilde porque termina en **s**

( ) Sí lleva tilde porque termina en **a** ( ) Sí lleva tilde porque termina en **e**

( ) Sí lleva tilde porque termina en **i** ( ) Sí lleva tilde porque termina en **o**

( ) Sí lleva tilde porque termina en **u**

ORTOGRAFÍA CON MÚSICA 𝄞

Ejercicio 67

Lee la siguiente canción de Armando Manzanero. Corrigiéndola aplicarás buena parte de los que has aprendido hasta aquí.

Esto es lo que falta: 13 tildes sobre la letra **i**

CONTIGO APRENDI
(Compositor: Armando Manzanero)

Contigo aprendi
que existen nuevas
y mejores emociones,
contigo aprendi
[...]

Aprendi
que la semana
tiene más de siete dias
a hacer mayores
mis contadas alegrias
y a ser dichoso
yo contigo lo aprendi.

Contigo aprendi
a ver la luz
del otro lado de la luna,

[...]

Aprendi
que puede un beso
ser más dulce y más profundo,
que puedo irme
mañana mismo de este mundo
las cosas buenas
ya contigo las vivi y también aprendi
que yo naci
el día en que te conoci.

Importante: Vuelve a estudiar las páginas anteriores. Repasa los conceptos: aprende qué es una sílaba, qué es un diptongo, qué es el acento ortográfico; de qué es sinónimo la palabra **tilde**, etc. De lo contrario la confusión aumentará y aumentará. No se puede aprender a bailar si no se memoriza primero la diferencia entre "brazo", "pie", "derecho", "izquierdo"...

Ejercicio 68

A continuación verás varias listas de gentilicios (nombres que reciben las personas, animales o cosas, según su lugar de origen). Analiza todas las combinaciones y *escribe una **C** de **c**orrecta en la serie que no tenga errores.*

1. ____

a) ( ) alemán	alemána	alemánas	alemánes
b) ( ) alemán	alemana	alemanas	alemanes
c) ( ) aleman	alemana	alemanas	alemánes
d) ( ) aléman	alemána	alemanas	alemanes

2. _____

a) ( )	libanesa	libánes	libanésas	libaneses
b) ( )	libanesa	libanés	libanesas	libaneses
c) ( )	libanésa	libanes	libanésas	libanéses
d) ( )	libanésa	libanés	libanesas	libaneses

3. _____

a) ( )	chiléno	chiléna	chilénos	chilénas
b) ( )	chíleno	chiléna	chilenós	chilenas
c) ( )	chileno	chilena	chilenos	chilenas
d) ( )	chiléno	chilena	chilénos	chilenás

4. _____

a) ( )	francésa	francés	francésas	franceses
b) ( )	francesa	francés	francésas	francéses
c) ( )	francesa	frances	francesas	franceses
d) ( )	francesa	francés	francesas	franceses

Ejercicio 69

Marca con una **C** la palabra que está escrita de manera **c**orrecta. Observa que la única diferencia entre los dos plurales que se te ofrecen es la tilde.

Singular	Plural	Plural
1. exhibición	( ) exhibiciónes	( ) exhibiciones
2. canción	( ) canciónes	( ) canciones
3. inauguración	( ) inauguraciónes	( ) inauguraciones
4. sensación	( ) sensaciónes	( ) sensaciones
5. generación	( ) generaciónes	( ) generaciones
6. colección	( ) colecciónes	( ) colecciones
7. atracción	( ) atracciónes	( ) atracciones
8. vocación	( ) vocaciónes	( ) vocaciones
9. listón	( ) listónes	( ) listones
10. sillón	( ) sillónes	( ) sillones

Ejercicio 70

Escribe **V** de **v**erdadero a todos los enunciados:

1. ( ) Ya me fastidié de estudiar ortografía.
2. ( ) Las palabras que terminan en "ón", como "camión" y "listón" son agudas. Y este nombre se debe a que la zona que les suena más fuerte es la del final, o sea la última sílaba.
3. ( ) Aunque yo creía que la ortografía era un asunto de letras, la verdad, resulta que es de números, porque la palabra "corazón", por ejemplo, no se escribe igual que "corazones". En plural se vuelve grave y pierde su acento ortográfico (tilde).
4. ( ) Cuando yo digo "camión", la zona más sonora es "mión". O sea que la palabra suena más fuerte en la última sílaba: ca<u>mión</u>; pero cuando digo "camiones", la zona más sonora ya no quedó al final de la palabra sino en medio: ca<u>mio</u>nes.
5. ( ) Ca<u>mión</u> es una palabra aguda. Ca<u>mio</u>nes es una palabra grave.
6. ( ) Ahora sí ya le entendí. ¡Soy sensaci<u>onal</u>! Tengo buena capacidad intelec<u>tual</u>. Y en ocasiones hasta me porto ge<u>nial</u>.

(Cuando las palabras agudas terminan en **l** nunca llevan tilde.)

Repaso: Las palabras **agudas** son las que tienen la parte más sonora en la última sílaba. Y llevan tilde sólo cuando terminan en las letras **n**, **s**, **a**, **e**, **i**, **o**, **u**. *Cuando terminan en cualquier otra letra, no se les pone tilde auque sean agudas*.

Ejemplos de palabras **agudas** *con* **tilde**:
    ala<u>crán</u>, com<u>pás</u>, pa<u>pá</u>, volve<u>ré</u>, coli<u>brí</u>, co<u>mió</u>, bam<u>bú</u>.

Ejemplos de palabras **agudas** *sin* **tilde**:
    re<u>loj</u>, pa<u>red</u>, can<u>tar</u>,carna<u>val</u>, <u>feliz</u>.

ORTOGRAFÍA CON MÚSICA 𝄞

Ejercicio 71

Coloca las tildes que hagan falta en **las palabras agudas**.

CONFIDENCIAS DE AMOR
(Compositor: Genaro Lombida)

Yo ya te iba a querer
pero me arrepenti
la luna me miro
y yo la comprendi
me dijo que tu amor
no me iba a hacer feliz
que me ibas a olvidar
porque tú eras asi.
Ya los claros fulgores de luna
matizando estaban tu pálida faz
y al mirarlos senti que la luna
musitando estaba un reproche tenaz.

[...]

Ahora, escribe en la línea *las palabras agudas sin tilde* que hay en la canción. Piensa que te estoy pidiendo palabras correctas, o sea, que sean agudas y que no lleven tilde porque no terminan ni en **n**, ni en **s** ni en **vocal (a, e, i, o, u)**.

Palabras agudas sin tilde:

_____

_____

Palabras que cambian de agudas a graves cuando se usan en plural:
    camión (con tilde) y camiones (sin tilde).

Ejercicio 72

Coloca tildes donde haga falta. Piénsalo bien. Para justificar tu decisión, escribe en la línea que está a la derecha de cada palabra si es **grave** o **aguda**.

1. exhibicion _____ exhibiciones _____
2. cancion _____ canciones _____
3. inauguracion _____ inauguraciones _____
4. sensacion _____ sensaciones _____
5. generacion _____ generaciones _____
6. coleccion _____ colecciones _____
7. atraccion _____ atracciones _____
8. vocacion _____ vocaciones _____
9. liston _____ listones _____
10. sillon _____ sillones _____

Ya hemos dicho que los gentilicios son las palabras con las cuales nombramos a las personas, animales o cosas, de acuerdo con su origen. Ejemplo: moda francesa (de Francia); filósofo británico (de la Gran Bretaña); comida vietnamita (de Vietnam). Hagamos un repaso.

El gentilicio masculino "alemán" (de Alemania), tiene tilde en la última sílaba "mán" porque es palabra aguda y termina en **n**.

(A-le-<u>mán</u>)
última sílaba

En cambio, el mismo gentilicio en femenino "alemana" no lleva tilde porque al añadirle la letra **a**, la palabra aumenta una sílaba y se convierte en grave. (A-le-<u>ma</u>-na)
penúltima sílaba

Lo mismo ocurre con las palabras en plural, tanto en femenino como en masculino.

Observa:

a-le-<u>má</u>**n**   Es palabra **aguda** (su sílaba tónica es la <u>última</u>). Termina en **n.**

a-le-<u>ma</u>-n**a**   Es palabra **grave** (su sílaba tónica es la <u>penúltima</u>). Termina en vocal: **a**.

a-le-<u>ma</u>-na**s**   Es palabra **grave** (su sílaba tónica es la <u>penúltima</u>). Termina en **s**.

a-le-<u>ma</u>-ne**s**   Es palabra **grave** (su sílaba tónica es la <u>penúltima</u>). Termina en **s**.

Son muy pocas las palabras cuyo significado puede cambiar a causa de la presencia o ausencia de la tilde: Sé (del verbo "saber": *¡Yo sé quién eres, hipócrita!*). Se (pronombre reflexivo: *Ella se maquilla*). Más (de cantidad: *Me gustas más cada día*). Mas (equivalente a "pero": *Me gustas, mas no como para casarme contigo*). Dé (del verbo "dar": *Necesito que ella me dé el dinero que me prometió*). De (preposición: *Este rancho es de mi hermana*). Mi (pronombre posesivo: *Tú eres mi amiga*). Mí (pronombre personal: *La amistad es muy importante para mí*), etcétera.

En el etcétera están incluidos tu y tú ; aun y aún ; te y té ; si y sí .

En general, las palabras monosílabas no llevan tilde (acento ortográfico). Los acentos diacríticos son la excepción.

Otra pareja que causa dudas es **aun** y **aún**. Apréndela hoy. Es muy fácil. Recuerda: **aún** equivale a **todavía** y **aun** a **hasta**. ¿Qué tiene cada pareja en común? Que cuando **aun** significa **hasta** no lleva tilde. Tampoco **hasta** debe tenerla nunca. En cambio, cuando puede sustituirse por la palabra **todavía** sí tendrá tilde porque en ambos casos hay hiato: **aún** y **todavía** (a-ún, to-da-ví-a).

Ejercicio 73

Completa con aun o aún los siguientes enunciados. Interpreta la intención del texto. Cuando sepas si la idea expresada es "hasta, incluso", o "todavía", escribe aun o aún.

1. _____ no hay tiempos compartidos para vacacionar en la luna.

2. ¿Cuándo piensas conocer el mar? _____ yo, que nunca viajo, conozco Acapulco.

3. Sé que _____ te interesa mi amistad, ¿por qué eres tan rencoroso y tan susceptible? ¡Ya bájale!

ORTOGRAFÍA CON MÚSICA 𝄞

Ejercicio 74

Corrige los acentos diacríticos. Pon o quita según corresponda. Analiza las palabras subrayadas. Piensa que té es para infusión de manzanilla, canela, azahar, etc. Por lo que, si no es para beber, **te** nunca lleva tilde.

LA NAVE DEL OLVIDO
(Compositor: Roberto Cantoral)

Espera, aun la nave del olvido no ha partido,
no condenemos al naufragio lo vivido,
por nuestro ayer, por nuestro amor
yo té lo pido.

Espera, aún me quedan en mis manos
primaveras,
para colmarte con caricias todas nuevas
que morirían en mis manos sí te fueras.
Espera un poco, un poquito mas,
para llevarte mí felicidad.
Espera un poco, un poquito mas,
me moriría si te vas.

Espera, aun me quedan alegrías para darte,
tengo mil noches de amor que regalarte,
te doy mi vida a cambio dé quedarte.

Espera, no entendería mi mañana sí te fueras
y hasta te acepto que tú amor me lo fingieras,
té adoraría aunque tu no me quisieras.
Espera un poco, un poquito más...
[...]

Recuerda: mientras que **mi** (sin tilde) siempre necesita que en seguida aparezca la palabra que constituye la posesión: mi coche, mi casa, mi idea, mi vida, etc., la palabra **mí** puede ser la última de la oración. Tú eres muy importante para **mí**.

Vayamos ahora con la palabra monosílaba **tu**.

tu es posesivo. Ej: **tu** boca

tú es personal. Ej: **Tú** tienes boca.

Sólo nos queda desamarrar una mancuerna **mi** y **"tí" que en realidad es ti**. Aparentemente aquí se hace un desorden, pues:

Este chocolate es para mí. (Correcto.)

Este chocolate es para ti. (Incorrecto.)

Pero no. Porque mí tiene que distinguirse de mi. En cambio tí no tiene que distinguirse de ningún ti.

Tí no existe. Es una palabra inútil. Porque si bien decimos "mi rancho" y este rancho es "para mí". Jamás diremos: "ti rancho" y este rancho es "para tí", sino "para ti".

Veamos qué es lo que ocurre con **mi**. Es una especie de truco de magia. Hay que vigilar las palabras.

Aquí trabajo **yo**.   Aquí trabajas **tú**.

Esta es **mi** computadora.   Esta es **tu** computadora.

Esta computadora es para **mí**. Esta computadora es para **ti**.

Aquí tenemos, en síntesis, las parejas que se corresponden por su función:

yo	**tú**	Ejemplos: **Yo** bailo. **Tú** bailas.
mi	**tu**	**Mi** ojo. **Tu** ojo.
mí	**ti**	Un regalo para **mí**. Un regalo para **ti**.

Regla esencial: **ti** jamás lleva tilde.

Tí es *incorrecto* siempre, en cualquier momento y en cualquier lugar; en mayúsculas y en minúsculas, a colores o en blanco y negro; en tu cuaderno o en un anuncio espectacular.

ORTOGRAFÍA CON MÚSICA 𝄞

Ejercicio 75

Aplica el conocimiento recién adquirido (acento prosódico y acento ortográfico en las palabras monosílabas). Usa tu inteligencia y no sólo tu memoria para discernir cuándo sí y cuándo no deben llevar tilde las palabras **mí**, **tú**; **mi**, **tu**.

PIENSA EN ____ (MÍ MI)
(Compositor: Agustín Lara)

Si tienes un hondo penar
piensa en _____ (mí mi)
si tienes ganas de llorar
piensa en _____. (mí mi)
Ya ves que venero ___ imagen divina (tu tú)
___ párvula boca (tu tú)
[...]
Piensa en _____ (mí mi)
cuando beses
cuando llores
también piensa en _____ (mí mi)
Cuando quieras quitarme la vida
no la quiero, para nada
para nada me sirve sin _____ (tí ti)

Piensa en _____ (mí mi)
cuando beses... (etc.)

ORTOGRAFÍA CON MÚSICA 𝄞

Ejercicio 76

Aplica lo que acabas de aprender. Corrige los errores que encuentres en el uso de las plabras "tu", "tú" y "ti", "mi" "mí". Analiza los subrayados.

LA GLORIA ERES TÚ
(Compositor: José Antonio Méndez)

Eres mí bien
lo que me tiene extasiado
por qué negar
que estoy de tí enamorado
de tú dulce alma
que es toda sentimiento.

De esos ojazos negros
de un raro fulgor
que me dominan
me incitan al amor
eres un encanto
eres mi ilusión.

[...]
Bendito Dios
porque al tenerte yo en vida
no necesito ir al cielo tisú
si, alma mía,
<u>la gloria eres tu.</u>

Dice: Debe decir:

_____   _____

_____   _____

_____   _____

_____   _____

Importante: si te parece que no hay errores, deja estos
espacios vacíos.

ORTOGRAFÍA CON MÚSICA 𝄞

Ejercicio 77

Completa los versos con la forma correcta: **ti** (siempre sin
tilde).

EL INFIERNO ES AMOR
(Más conocida como "Por ti")
(Compositor: Óscar Chávez)

Por ___
yo dejé de pensar en el mar,
por ___
yo dejé de fijarme en el cielo.

Por ___
me ha dado por llorar como el mar,
me he puesto a sollozar como el cielo,
me ha dado por llorar.

Por ___
la ternura se niega conmigo,
por ___
la amargura me sigue y la sigo.

Por ___
me estoy volviendo loco de celos
se han vuelto contra mí los anhelos
se vuelven contra mí.

Por ___
la vida se me ha vuelto un infierno
por ___
estoy muerto de amor, tan enfermo...

Por ___
se han vuelto llaga el sol y el dolor
se ha vuelto mal la flor y el amor
se ha vuelto mal la flor.

[...]

Por ___
el dolor es el sol sin la flor
el infierno es amor tan eterno
el infierno es amor.

Por ___
por ___
por ___
por ___...

Ejercicio 78

Lee los siguientes refranes. Observa que en todos aparece la palabra mas. Piensa en qué casos significa "mayor cantidad" (más) y en cuáles puede ser sustituida por "pero" (mas). A continuación *coloca las tildes necesarias* en las palabras subrayadas.

más   (con tilde) significa mayor cantidad.
mas   (sin tilde) equivale a "pero", "sin embargo".

1. De los parientes y el sol, mientras mas lejos mejor.
2. Mas pronto cae un hablador que un cojo.
3. Cuesta mas caro el caldo que las albóndigas.
4. Cualquiera toca el cilindro mas no cualquiera lo carga.
5. Cuando está abierto el cajón, el mas honrado es ladrón.
6. Duele mas el cuero que la camisa.
7. La reata se revienta por lo mas delgado.
8. Mas vale Tianguistengo que Tianguistuve.
9. Toma vino mas no dejes que el vino te tome a ti.

Ejercicio 79

Completa estos fragmentos de canciones usando **sé** (del verbo saber) o **se** (pronombre reflexivo: se peina.)

1. No ___ tú, pero yo no dejo de pensar...
2. Yo ___ que nunca besaré tu boca, tu boca de púrpura encendida...
3. ___ que aún me queda una oportunidad...
4. Yo___ que inútilmente te venero...

   Ahora vamos a hacer un alto. Lee los siguientes fragmentos y aprecia que, a diferencia de los 4 anteriores, en los ejemplos 5 y 6 la palabra **se** no tiene relación con el verbo saber (yo sé).

5. ___ me acabó la fuerza de la mano izquierda...
6. ___ te olvida, que hasta puedo hacerte mal si me decido...

Hay varias formas de usar **se** sin tilde. Una, la que se emplea con los verbos reflexivos. Ejemplo: Ella **se** cuida la piel. La acción de cuidar**se** la piel recae en ella.

---

se = pronombre reflexivo (Él **se** baña.) Este "se" jamás lleva tilde.

Importante: cuando **sé** significa "saber" lleva tilde.
Ejemplo: Yo **sé** la verdad.

También llevará tilde **sé** cuando sea el imperativo del verbo ser.
Ejemplo: **Sé** valiente. **Sé** decente.

Ejercicio 80

Distingue en qué oraciones se está usando el verbo saber (**sé**). Coloca la tilde.

Escribe en la línea correspondiente: <u>saber</u>. Si no es de "saber", déjala vacía.

1. Yo <u>se</u> que inútilmente te venero... _____
2. Yo <u>se</u> que tú comprendes la pena que hay en mí... _____
3. Yo <u>se</u> bien que estoy afuera, pero el día en que yo me muera, <u>se</u> que tendrás que llorar... _____ _____

4. La juventud <u>se</u> va y <u>se</u> va de prisa como el viento...
_____   _____

5. No <u>se</u> si vuelva a verte despúes, no <u>se</u> que de mi vida será.
_____   _____

6. Adiós, mi chaparrita, no llores por tu Pancho, que si <u>se</u> va del rancho, muy pronto volverá. _____

7. Si porque vengo de lejos me niegas la luz del día, <u>se</u> me hace que a tu esperanza le pasó lo que a la mía.
_____

8. Yo sentí que mi vida <u>se</u> perdía en un abismo profundo y negro como mi suerte. Quise hallar el olvido al estilo Jalisco..._____

Hay otros dos casos de **se** sin tilde que son un poco más difíciles de explicar. Dejemos el de los verbos cuasirreflejos para la próxima reencarnación, y conformémonos con entender ahora el "**se**" como pronombre del objeto indirecto.

Pensemos:
Yo les doy <u>los discos</u> *a tus amigas.* Yo *se* <u>los</u> doy.
La palabra "<u>los</u>" equivale a <u>los discos</u>.
La palabra *"se"* equivale a *tus amigas.* Los pronombres sustituyen a los nombres, o sea, que en este caso, los nombres son: discos y amigas; los pronombres son: <u>los</u> y <u>se</u>.

"Se" es el pronombre de objeto indirecto. Lo descubrimos cuando le preguntamos al verbo principal de la oración: ¿a quién? o ¿para quién? Desde luego, esta regla tiene sus insoportables excepciones, ya que a veces el objeto directo, en vez de contestar ¿qué? del verbo principal, tiene la dulzura de entrar en complicidad con la preposición "a" para hacernos la vida de cuadritos. Sin embargo, a ti eso no debe preocuparte, porque en lo relativo a ortografía, lo único que debes recordar es:

> *Colocarás acento ortográfico en la partícula "**sé**" cuando se trate del verbo **saber** o del verbo **ser** (imperativo). La palabra "**se**" nunca deberá tener tilde en ninguno de los demás casos.*

ORTOGRAFÍA CON MÚSICA 𝄞

Ejercicio 81

Lee la canción. Decide si la palabra <u>se</u> está bien escrita. Corrige en caso necesario.

LA MENTIRA
(Compositor: Álvaro Carrillo)

<u>Se</u> te olvida
que me quieres a pesar de lo que dices,
[...]

<u>Se</u> te olvida que hasta puedo hacerte mal
si me decido,
pues tu amor lo tengo muy comprometido,
pero a fuerza no será.

Y hoy resulta
que no soy de la estatura de tu vida,
y al dejarme casi, casi, <u>sé</u> te olvida
que hay un pacto entre los dos.
[...]

Ejercicio 82

Las doce palabras que aparecen a contiuación terminan en **z**.

Aplica tus conocimientos de hiatos y diptongos para saber cuáles llevan tilde y cuáles no. No olvides las reglas de las palabras agudas. ¡Piensa! Acierta en todas.

1. mai**z**
2. infeli**z**
3. Orti**z**
4. Beatri**z**
5. matri**z**
6. feli**z**
7. emperatri**z**
8. directri**z**
9. nari**z**
10. rai**z**
11. automotri**z**
12. cicatri**z**

ORTOGRAFÍA CON MÚSICA 𝄞

Ejercicio 83

Lee la canción *Por fin.*

Corrige la ortografía. Hay tildes que sobran y otras que faltan en donde sí son correctas. Pon atención, porque como las palabras se repiten puede haber un "feliz" y un "felíz", un "fín" y un "fin". No dejes errores. Hay muchos.

POR FIN
(Compositor: Armando Navarro)

Por fin
ahora soy felíz
por fín he realizádo
el amor soñado en mi corazon.

Seras
como una bendicion
calmaste tu mí pena
que era una condena
[...].

Ahora se acaba mí sufrir
mí alma ha vuelto a ser feliz.

Por fin
ahora soy feliz
por fin he realizado
el amór soñado en mi corazón.

Observa con mucha atención la siguiente palabra:

Jura

Cuando la pronunciamos en voz alta descubrimos:

a) Que la parte más sonora, es decir, la que suena más fuerte es Ju;

b) Que en consecuencia se trata de una palabra grave, pues son graves las que tienen la sílaba tónica en la penúltima sílaba, y

c) Que no lleva tilde (acento ortográfico) porque termina en vocal: *a,* en este caso.

Analicemos:

Jura que me quieres. Júralo.

En el primer caso jura no lleva tilde, en el segundo, júralo, sí. ¿Por qué?

Porque al añadir el pronombre **lo** (el cual sustituye a "que me quieres"), la palabra se convierte en esdrújula. En consecuencia debe llevar tilde, porque todas las esdrújulas la tienen.

Recordemos que las palabras esdrújulas son las que tienen la zona más sonora en la antepenúltima sílaba.

Conclusión

Cuando a una palabra grave (jura) se le añade un pronombre (la, me, nos, lo, las, etc.), al aumentar el número de sílabas cambia la naturaleza de la palabra, la cual en vez de ser grave (jura) se convierte en esdrújula (júrame). Nota que en todos los casos la sílaba tónica es "**ju**". En la palabra grave (jura) no lleva tilde; en cambio como esdrújula sí (júrame).

Veamos otro ejemplo: **Trae** el abrigo.

Aunque el verbo "trae" es muy cortito: sólo tiene 4 letras, es bisílaba **tra-e**.

No debemos olvidar que las vocales fuertes: **a   e   o** nunca forman diptongo cuando están juntas, por eso una letra de estas puede formar una sílaba por sí misma.   Tra*e*   Tra-e (es grave).

No lleva tilde porque termina en vocal: "*e*".

Sustituyamos "el abrigo" por el pronombre correspondiente: "**lo**".

Tráelo   Trá-e-lo (es esdrújula). Sí lleva tilde.

Ejercicio 84

Coloca las tildes necesarias.

1. dame	7. hazme
2. damelos	8. hazmelo
3. traeme	9. corrigelo
4. entregale	10. corrigete
5. entrega	11. corrige
6. haz	12. corrigelas

ORTOGRAFÍA CON MÚSICA 𝄞

Ejercicio 85

Observa las palabras.
1. Clasifícalas mentalmente en **graves** y **esdrújulas**.

2. La palabra grave a la que le sobra tilde es: _____
3. La palabra esdrújula a la que le falta tilde es: _____

JÚRAME
(Compositora: María Greever)

Todos dicen que es mentira que te quiero,
porque nunca me habían visto enamorado,
yo te júro que yo mismo no comprendo
el por qué tu mirar me ha fascinado.

[...]

Júrame, que aunque pase mucho tiempo
no olvidarás el momento en que yo te conocí,
mírame, pues no hay nada más profundo
ni más grande en este mundo, que el cariño que te di.
Besame, con un beso enamorado,
como nadie me ha besado
desde el día en que nací.
Quiéreme, quiéreme hasta la locura
y así sabrás la amargura que estoy sufriendo por ti.

Ejercicio 86

Marca con una **C** la opción **c**orrecta.

1. ( ) júrame   ( ) jurame
2. ( ) júra   ( ) jura
3. ( ) mírame   ( ) mirame
4. ( ) míra   ( ) mira
5. ( ) quiéreme   ( ) quiereme
6. ( ) quiére   ( ) quiere

Ejercicio 87

En el siguiente párrafo hay varias palabras. Acomódalas para que la regla quede completa en el segundo párrafo. (Sobran tres.)

aguda, grave, esdrújula, hiato, diptongo
vocal, consonante
última, penúltima, antepenúltima

Regla:

Cuando una palabra es _____, como "be-sa", "mi-ra" o "ju-ra", no lleva tilde, porque termina en _____ y la sílaba más sonora es la _____.

Sin embargo, cuando esa misma palabra: "besa", "mira" o "quiere" aumenta de tamaño una sílaba: "bé-sa-me", "mí-ra-te" o "jú-ra-lo" sí lleva tilde porque deja de ser palabra grave y se convierte en _____. Y es una regla sin excepciones que todas las palabras _____ sin importar con qué letra terminen llevarán siempre tilde.

Ejercicio 88

Lee las siguientes palabras. Nota que todas terminan con **n**. Unas tienen tilde y otras no. *Encuentra 2 errores.*

1. camió**n**	6. gérme**n**
2. extensió**n**	7. ilusió**n**
3. waró**n**	8. tensió**n**
4. sensació**n**	9. volúme**n**
5. imitació**n**	10. cie**n**

Los errores son: _____ y _____

Ejercicio 89

En el siguiente párrafo, todas las palabras terminan en **s**. Algunas tienen tilde y otras no. Pronúncialas. Después, piensa si son agudas o graves. Finalmente, coloca o elemina tildes para lograr la escritura correcta. (Atención a los hiatos.)

siene**s**	vietnamita**s**	capuchino**s**	cafe**s**	verde**s**
géne**s**	gato**s**	vuelve**s**	regrese**s**	tre**s**
Ine**s**	vendra**s**	tendra**s**	entendera**s**	dó**s**
pakistanie**s**	france**s**	francese**s**	de**s**	cié**n**
valse**s**	gri**s**	compáse**s**	ere**s**	e**s**

Ejercicio 90

Hay *cuatro* palabras mal escritas. Encuéntralas y escríbelas en los renglones que se te ofrecen.

1. anis	6. estudiántes
2. bílis	7. visítanos
3. iris	8. cafeterías
4. billétes	9. papelerías
5. seas	10. brasileños

Las cuatro palabras mal escritas son:

_____   _____

_____   _____

Palabras sobresdrújulas

Observa los siguientes vocablos. Reflexiona.

entrega   entrégalo   entrégamelo

en-**tre**-ga   en-**tré**-ga-lo   en-**tré**-ga-me-lo

Aprecia que:

1. La sílaba más sonora es **tre** en las tres palabras.
2. En dos hay tilde y en una no. Las razones son: *en-tre-ga* es palabra grave y termina en vocal, por ello aunque la zona de mayor fuerza sonora es la penúltima sílaba, no lleva tilde. En cambio, *en-**tré**-ga-lo* es esdrújula igual que Pénjamo (*Pén-ja-mo*). Y *en-tré-ga-me-lo* tiene una sílaba más que *en-tré-ga-lo*.

A las palabras que tienen la sílaba más sonora en la cuarta o quinta sílaba contando del final al principio se les llama **sobresdrújulas** y siempre llevan tilde.

Ejercicio 91

Reconoce las palabras. Escribe en el renglón correspondiente si son graves, esdrújulas o sobresdrújulas. Coloca las tildes en donde sea necesario para que queden bien escritas.

1. escribe _____
2. escribelo _____
3. escribeselo _____
4. anotalo _____
5. anotamelo _____

6. anotaselo _____
7. describenoslo _____
8. calla _____
9. recuerdaselo _____
10. callate _____

Ejercicio 92

Anota **C** en el paréntesis de la escritura correcta. Elige con cuidado. (Pronuncia. Escucha la palabra. En la vida diaria, no te fíes de todos los acentos ortográficos. Decide tú, porque algunos anuncios publicitarios podrían estar mal escritos.)

1. ( ) cóm-pra-me-lo   ( ) com-pra-me-lo   ( ) com-pra-mé-lo

2. ( ) ad-jún-te-se-lo   ( ) ad-jun-té-se-lo   ( ) ad-jun-te-se-ló

3. ( ) ra-pi-da-men-te   ( ) ra-pi-da-mén-te   ( ) rá-pi-da-men-te

4. ( ) éx-pli-ca-nos-lo ( ) ex-plí-ca-nos-lo   ( ) ex-pli-ca-nós-lo

5. ( ) tar-dia-men-te   ( ) tar-di-a-men-te   ( ) tar-dí-a-men-te

En muchas palabras aparece la terminación "mente". Ejemplo: fácilmente, igualmente, alegremente, atentamente, gravemente. ¿Cuándo llevarán tilde y cuándo no? ¿Cuál es el criterio para decidir sin equivocarnos?

Facilísimo: el adverbio, es decir, la palabra terminada en **mente**, queda igual que la palabra de la que procede. (

Ejemplos: alegre   alegre*mente* (sin tilde)
          ágil   ágil*mente*   (con tilde)

Ejercicio 93

Identifica las palabras bien escritas. Anota una **C** de **c**orrecta dentro del paréntesis. Para saber cuál es la escritura adecuada mira cómo se escribe el adjetivo.

El **adjetivo** es el que califica al sustantivo, y el adverbio, el que califica al verbo.

Ejemplos: La <u>tarea</u> es *fácil.* (*adjetivo*)
                sustantivo

           <u>Resolvimos</u> la tarea *fácilmente.* (*adverbio*)
           verbo

		VIENE DE:
1. (C) fácilmente	( ) facilmente	*fácil*
2. ( ) alegreménte	(C) alegremente	*alegre*
3. ( ) felízmente	( ) felizmente	*feliz*
4. ( ) atentamente	( ) atentaménte	*atento, atenta*

5. ( ) igualmente   ( ) iguálmente   *igual*
6. ( ) torpemente   ( ) torpeménte   *torpe*
7. ( ) difícilmente   ( ) dificilmente   *difícil*

Jamás colocaremos una tilde sobre la palabra *mente*, porque es grave.

Ejercicio 94

¿Cuántas faltas de ortografía tiene esta pobre palabra?

1. exibisión
a) dos
b) cuatro
c) una

____

2. escencia
a) una
b) ninguna
c) dos

____

3. nuéz
a) ninguna
b) una
c) dos

____

4. exhuberante
a) dos
b) una
c) ninguna

____

Nombres propios y apellidos

Desde un punto de vista ideal, los nombres propios deberían ajustarse a las reglas de la ortografía. Pensemos, por ejemplo, en el apellido "Sánchez". Termina en "z" y lleva tilde porque no es aguda, sino grave (su sílaba tónica es la penúltima). Es un apellido con buena ortografía.

El problema con los nombres propios, al igual que con los apellidos, surge, a veces, por el deseo de originalidad. Una familia que se apellida **Velázquez** y desea distinguirse, se registra como **Belásques**, o bien como **Velhásquez**, o incluso **Beláskes**. En este último caso no necesitaría la tilde sobre la "a" porque se trata de una palabra grave. Y las graves, a diferencia de las agudas, no llevan tilde cuando terminan precisamente en **n**, **s** o **vocal**.

No sólo la iniciativa de cada persona altera el rumbo de nombres y apellidos. También es muy frecuente la negligencia de los empleados del registro civil quienes, por distracción o ignorancia, mandan más sobre el destino de toda una familia que la temible herencia genética.

El hecho es que ya sea por una razón o por otra, cada quien escribe su nombre como quiere o, más exactamente, como puede. Por ello, ante tanta arbitrariedad, no ha quedado más remedio que hacer una regla invertida: ya que no hay orden en ese asunto, que haya libertad.

Esto sirve también para que nadie nos ande regañando porque nuestra hija se llama "Estefania", aunque nosotros le decimos "Estefanía" y aunque el nombre de la niña contradiga las reglas de hiatos y diptongos. O que el bebé se llame Victor, pronunciado como "dolor" (más fuerte en la sílaba "lor", porque nunca se nos ocurrió llamarlo "Víctor" a pesar de que la palabra es grave y termina en "r", por lo que debe llevar tilde sobre la "í". (Para que en verdad, de ley, se llame Víctor, es indispensable ponerle acento ortográfico a la **í**.)

Por pura curiosidad, revisa los siguientes nombres y apellidos. Pon mucha atención. *Tal y como están escritos tendrían que pronunciarse poniendo la mayor fuerza en la sílaba subrayada.*

GARCIA	GARCÍA
Lucia	Lucía
Isaias	Isaías
Estefania	Estefanía
Maria	María
Castrejon	Castrejón
Efrain	Efraín
Saul	Saúl
Hector	Héctor
Oscar	Óscar

Y, tú, ¿cómo te llamas? Hector como "motor" o Héctor. Isaias sin tilde casi suena a "isayas", muy lejos del sonido "Isaías". Maria (como bibliotecaria) o María.

Las Mayúsculas

Durante muchos años las imprentas no pudieron poner tildes a las letras mayúsculas. Periódicos, marquesinas, revistas, anuncios espectaculares y demás escritos públicos contaban con la buena fe y el conocimiento de cada lector.

Como la gente ya sabía que la palabra "antigüedades" llevaba diéresis, su imaginación estaba obligada a contribuir. Cada persona debía leer "ANTIGÜEDADES" donde sólo decía "ANTIGUEDADES". Asimismo debía leer "María Félix" en donde estaba escrito "MARIA FELIX". En este último nombre, con la ortografía indicada, "Maria" suena como Victoria, y Felix como feliz. Lo correcto es MARÍA FÉLIX.

Esta limitación técnica (de no ponerles tildes o diéresis a las mayúsculas) ahora está resuelta gracias a las computadoras, por lo que sí es error escribir las palabras mayúsculas sin el acento ortográfico o la diéresis, cuando deben llevarlas, evidentemente.

Ejercicio 95

Revisa los anuncios publicitarios que se te ofrecen. Escribe correctamente las palabras. Coloca diéresis o tildes según se requiera.

1. SECRETARIA BILINGUE EN SÓLO 6 MESES. INSCRIBETE YA.
2. POLLERIA Y ROSTICERIA "EL POLLITO CON PAPAS". LLAME, NOSOTROS VAMOS. PEDIDOS A DOMICILIO Y SERVICIO DE RESTAURANTE. ¡NIÑOS, TRAIGAN A SUS PAPAS!
3. ANTIGUEDADES, ARTESANIA MEXICANA Y LITOGRAFIAS AUTENTICAS. LAS MEJORES... EN EL BAZAR DE COYOACAN.

Colocar tildes correctamente es decisivo. El sentido de una idea escrita puede cambiar si no acentuamos correctamente. Ejemplo: ¡Cuidado, tienes coche atrás! Continúa manejando. ¿Por qué frenas?, ¿no viste el letrero? Es vuelta continua.

Asimismo, hay un juego de palabras bastante conocido: "No es lo mismo tener en la familia una pérdida que una perdida".

Ejercicio 96

Aprecia el valor de un acento ortográfico. La única diferencia entre las dos versiones de este anuncio es una tilde.

SOLICITO SEÑORITA CON EXPERIENCIA EN ENSEÑAR INGLÉS.
SOLICITO SEÑORITA CON EXPERIENCIA EN ENSEÑAR INGLES.

Ejercicio 97

Estudia esta lista. Contiene palabras de uso constante. Afina tu percepción. Nota cómo el cambio de lugar de la tilde implica el cambio de significado.

Observa: La fiesta se animó a las 12.
Yo animo a Laura para que vaya a la fiesta.
Laura no tiene ánimo para salir.

Lee con el cerebro encendido y descubrirás:

1. Que las <u>agudas</u>, o sea las palabras de la columna de la derecha, son verbos en pasado; sirven para las terceras personas: él, ella. O para yo. Ella calculó; yo celebré.

2. Que las palabras de la primera columna son esdrújulas y funcionan como sustantivos.

El árbitro es un inepto. Ese tipo arbitró realmente mal. Yo arbitro mejor que él.

3. Que las graves, las de la columna del centro, son la conjugación en presente para la primera persona: yo. Yo catalogo; que yo celebre.

(Sustantivos o adjetivos)	Yo_____ (en presente)	Él o Ella _____ (en pasado)
ánimo	animo	animó
árbitro	arbitro	arbitró
artículo	articulo	articuló
cálculo	calculo	calculó
catálogo	catalogo	catalogó
célebre	celebre	celebré
centrífugo	centrifugo	centrifugó
círculo	circulo	circuló
crítico	critico	criticó
depósito	deposito	depositó
diagnóstico	diagnostico	diagnosticó
diálogo	dialogo	dialogó
ejército	ejercito	ejercitó
equívoco	equivoco	equivocó
específico	especifico	especificó
estímulo	estimulo	estimuló
explícito	explicito	explicitó
hábito	habito	habitó
íntegro	integro	integró
intérprete	interprete	interpreté
íntimo	intimo	intimó
inválido	invalido	invalidó
júbilo	jubilo	jubiló
legítimo	legitimo	legitimó
límite	limite	limité
líquido	liquido	liquidó

(Sustantivos o adjetivos)	Yo____ (en presente)	Él o Ella _____ (en pasado)
médico	medico	medicó
módulo	modulo	moduló
monólogo	monologo	monologó
náufrago	naufrago	naufragó
número	numero	numeró
óxido	oxido	oxidó
oxígeno	oxigeno	oxigenó
pálpito	palpito	palpitó
partícipe	participe	participé
práctico	practico	practicó
pródigo	prodigo	prodigó
pronóstico	pronostico	pronosticó
próspero	prospero	prosperó
público	publico	publicó
rótulo	rotulo	rotuló
solícito	solicito	solicitó
término	termino	terminó
título	titulo	tituló
tráfico	trafico	traficó
trámite	tramite	tramité
tránsito	transito	transitó
último	ultimo	ultimó
válido	valido	validó
vínculo	vinculo	vinculó
vómito	vomito	vomitó

Ejercicio 98

Practica con las palabras de la lista anterior escribiendo una historia real o ficticia en la cual aparezcan palabras que cambien de significado según se escriban con o sin tilde.

Ejercicio 99

Aplica tus conocimientos. Si tienes dudas, regresa a la lista. Coloca las palabras que se hallan entre paréntesis en la raya que les corresponda. Sólo debes fijarte en las tildes y en el significado de cada una.

1. Mi _____ amigo es Eduardo. Yo no _____ con cualquiera. Recuerdo que cuando Elsa _____ con Pepe, él acabó traicionándola. *(intimo, intimó, íntimo)*

2. El _____ no es mi materia preferida. Yo no _____ ni las horas que duermo. Pero mi papá sí; el otro día dijo que _____ que yo había estado dormido catorce horas. No me late. *(calculo, cálculo, calculó)*

3. No he conseguido un chofer amable y _____ para que traslade a los ancianos de nuestro asilo. La secretaria _____ uno a la agencia de trabajadores domésticos; pero le mandaron a un patán. ¿Y si mejor _____ a un enfermero que sepa manejar? *(solicitó, solícito, solicito)*

Ejercicio 100

Aprecia cómo cambia el significado de las palabras según tengan tilde o no. En caso de tenerla, fíjate dónde la lleva.

Ahora, yo habito donde habitó Emilio, mi amigo. Y por lo que le ocurrió, hasta perdí el hábito de tomar café y de escribir novelas policiacas.

Luego de revolver toda la casa, el criminal sacó el revólver y tranquilamente le dijo: Antes de ir al cajero automático, tú vienes conmigo al café vienés. Quiero un exprés. No hagas ruido ni gestos. No vaya a ser que la gente interprete tu cara de miedo; tampoco intentes que el empleado del café sea el intérprete de tus movimientos. Porque ayer yo interpreté el papel de asesino; te conviene ser práctico: recuerda que practico el tiro al blanco con la gente.

El cuerpo fue hallado frente al expendio de café. "Fue suicidio", aseguró el ministerio público, que nunca publicó ningún resultado de la investigación. A mí me afectó tanto que desde entonces no leo ni publico novelas policiacas.

Cuando nos dieron la noticia, la novia de Emilio vomitó y yo, que nunca vomito, también volví el estómago. Nadie sabe nada; todo son suposiciones: un verdadero vómito.

Beatriz Escalante

Reglas para cortar las palabras en un texto.

Debido a que las palabras no caben siempre en el renglón, es necesario aprender a partirlas correctamente. Conozcamos los secretos de la separación silábica. Ya te has ejercitado en la pronunciación. Sabes oír las sílabas. En este instante, di en voz alta la palabra *México*. Con sólo poner atención a los movimientos de la boca es fácil descubrir que la división correcta es: *Mé-xi-co*.

Y cuando escogemos la palabra *carreta* sabemos que quedará: *ca-rre-ta*. Y si se trata de *estrella*: *es-tre-lla*. No se nos ocurre dividir la *ll* en *l* y *l*. Tampoco separaremos *hinchar* apartando la *c* de la *h*.

Son inseparables **ch**, **rr**, **ll**, **qu** y **gu**.

A nadie se le ocurre separar "queso" de esta forma: q-ueso o de esta otra: qu-e-so. Existe la inercia de que la **u** es inseparable de la **q**: **qu**.

En-ri-**qu**e-ta, **qu**ien es muy co-**que**-ta, jue-ga a la ra-**qu**e-ta. No es tan fácil para todos el caso de la **gu**. Practica.

Ejercicio 101

Separa las siguientes palabras.

1. juguete _____
2. enriquecimiento _____
3. vergüenza _____
4. guitarrista _____
5. piquete _____
6. guía _____
7. enjuague _____
8. desagüe _____
9. despegue _____
10. merenguito _____

11. pequeño   _____

12. antigüedades   _____

Cuando aparecen juntas dos letras **cc** sí se separan, porque cada **c** pertenece a una sílaba distinta.

Ejemplo: se**cc**ión   fra**cc**ión

         se**c**-**c**ión   fra**c**-**c**ión

Ejercicio 102

Separa las palabras por sílabas. Aplica lo aprendido. Cuidado con *cc*. Escúchate.

1. elección	_____	elecciones	_____
2. lección	_____	lecciones	_____
3. disección	_____	disecciones	_____
4. selección	_____	selecciones	_____
5. inyección	_____	inyecciones	_____
6. proyección	_____	proyecciones	_____
7. drogadicción	_____	drogadicciones	_____
8. aflicción	_____	aflicciones	_____
9. restricción	_____	restricciones	_____
10. refacción	_____	refacciones	_____

Una vocal **no** debe quedar sola al final de un renglón. Tampoco al principio.

El único caso en que una vocal puede quedar sola al final de un renglón es **si y sólo si la acompaña una h**.

Los diptongos y los triptongos son inseparables.

Ejercicio 103

Este texto es como una persona incoherente: no pone en práctica lo que afirma: se contradice. Identifica los errores y márcalos.

Coherencia y corrección.

Cuando llegamos al final de un renglón y la palabra no cabe, será necesario partirla. Existen varias reglas indispensables. Una lección de cómo hacerlo es lo que hallarás en este ejercicio. Pues en ningún caso deberás separar las letras dobles. La *rr* irá junta en "perro" y lo mismo ocurrirá con la *ll*, (¿te has fijado en que son letras mellizas?). La cc no es letra doble. Cada *c* quedará en una sílaba. Redacción las tiene, igual que putrefacción, reacción, acción y disección. Oye las sílabas, esa es la guía fundamental. La *c* y la *h* que forman la *ch* estarán en la misma sílaba. Ejemplos: chícharo, chichimeca y chía.

La vocal *u* representa un problema sencillo de evitar. La siguiente lista de palabras te dará la clave. En "quienes", "queso" y "quebrar" la *u* siempre estará en el mismo renglón de la *q* a la cual acompaña. Y esta convención afecta igualmente al uso de la *g*. Maguey, guerrilleros, guitarra y pingüino son ejemplos de palabras en las cuales mantendrás la *u* junto a la *g* (lo mismo si hay diéresis que si no).

¿Recuerdas aquello de *diptongo* y *triptongo*? Esas dos o tres vocales, según sea el caso, no han de ser apartadas sólo porque no quepan ya en la línea. Lo mismo si es un menú escrito a mano: huauzontle capeado, que si es un impreso en papel lujoso que anuncie viajes a Suiza, Londres, Perú, Brasil, Egipto, Cancún, Mérida, Tehuantepec, Veracruz, Palenque, Acapulco, Paraguay, Francia o Venezuela.

Nunca deberás dejar una vocal sola en un renglón. El país Egipto, por ejemplo, aunque tiene que separarse así: E-gip-to. No dejará su *E* abandonada. No por "aprovechar" el hueco irá la vocal con que inicia una palabra en el renglón anterior.

La *a* no quedará suelta a menos que la acompañe una *h*.

Ejemplo: ¡Por fin... la herencia! ¡Acaba de llegar la carta! ¿Llamo a la enfermera? Ponte la prótesis. ¡Vámonos! ¿Qué dices? Ah.

Es importante evitar la majadería involuntaria. Las llamadas malas palabras no deberán aparecer como consecuencia de la separación silábica. Porque resulta innecesariamente hostil ponerle a alguien la palabra "trasero" en plena cara, sólo porque no cabe completa. En suma, es deseo de la Academia que palabras como estrépito, cómputo, músculo y otras de final incómodo no provoquen un espectáculo al mostrarse sin disimulos en mitad de una redacción.

Beatriz Escalante

SEGUNDA PARTE

PUNTUACIÓN*

* Podrás encontrar ejercicios adicionales de puntuación en el libro de Beatriz Escalante: *Curso de Redacción para escritores y periodistas*. Edit. Porrúa, (de la página 3 a la 74). Las reglas son las mismas. Los ejercicios son diferentes.

Coma

La coma tiene cuatro funciones fundamentales:
a) Separar los elementos análogos en una serie, ya sean palabras o frases;
b) Aislar palabras u oraciones incidentales;
c) Señalar que la sintaxis ha sido alterada, y
d) Indicar que una o varias palabras han sido suprimidas por razones gramaticales o de estilo.

Estudiemos detalladamente las funciones de este signo de puntuación.

La coma sirve para:

1. Separar todas las palabras de la misma clase (nombres, adjetivos o verbos) en una enumeración, menos la última si va precedida por **y**, **e**, **ni**, **o**. Ejemplos:

En aquel barco transportaban sandías, zapotes, guanábanas, pitayas, marañones, caimitos y mameyes.

Con ese traje te ves guapo, formal, distinguido e interesante.

Tú no sabes peinar, teñir, cortar, decolorar, poner extensiones ni hacer bases: estás despedida.

2. Separar las frases breves que van en serie, aunque contengan la conjunción **y**. Ejemplos:

En esta oficina todos usan computadoras, están enterados de los conflictos actuales, saben inglés y francés, **y** están dispuestos a salir de viaje en cualquier momento.

Ana se desmayó y permanecía tirada en el suelo, sin respirar, su rostro palidecía, **y** tuvo convulsiones.

3. Destacar el **vocativo**: nombre de una persona o cosa personificada a la cual nos dirigimos o invocamos. Ejemplos:

Dios, atiende a mis ruegos.

¿Por qué vienes cuando quieres, **Muerte,** y no cuando yo te llamo?

Contesta cuando se te habla, **Luis**.

Si el vocativo va al comienzo de la oración irá seguido de una coma; entre comas, si está en medio, y llevará una coma antes, si está al final.

4. Independizar ciertos adverbios y frases adverbiales como: sin embargo, en fin, es decir, o sea, además, esto es, ahora bien, antes bien, por el contrario, pues bien, etc. (La palabra etcétera, completa o abreviada, también deberá ir entre comas.) Ejemplos:

> Aunque la forma de puntuar depende mucho del estilo de cada escritor, **es decir,** de su psicología, de su lógica, de su idea del ritmo, **etcétera,** es innegable la existencia de ciertas convenciones gramaticales que permiten la comunicación entre el texto y el lector.

> Como al entrar a este salón de clases vi gente de México, Canadá, El Salvador, Guatemala, China, Marruecos, **etc.,** pensé que se trataba de un encuentro de las Naciones Unidas.

5. Señalar que la palabra "**pues**" funciona como muletilla: indica continuidad. En estos casos "**pues**" irá entre comas. Ejemplo:

> Todo lo que te he explicado tiene, **pues,** el propósito de que aprendas a usar la coma.

En cambio, si "**pues**" es una conjunción causal que introduce un motivo o razón, sólo llevará coma antes. Ejemplo:

> He decidido no trabajar en esta editorial, **pues** no publica libros de literatura.

Analicemos un enunciado en el que "pues" (conjunción causal) aparece entre dos comas:

> José no pudo venir, pues, **como ya te había dicho,** está enfermo.

La coma que va en seguida de "pues" indica el inicio de una oración incidental, es decir, de esas oraciones que pueden ser eliminadas sin que el enunciado principal pierda sentido. Suprimamos la oración incidental "**, como ya te había dicho,**" y veremos cómo "pues" (conjunción causal) sólo lleva una coma antes:

> José no pudo venir, **pues** está enfermo.

(En caso de duda, lee la regla 11.)

6. Separar en una oración la frase que contiene una conjunción adversativa: sino, mas, pero, aunque. Ejemplo:

Estuve desesperado, **pero** no te importó.

Sin embargo, también es común el uso del punto y coma (;) antes de "pero", "mas" o "aunque" para reforzar la idea de contrariedad entre dos proposiciones largas. Ejemplo:

Hubo muchas ocasiones en que ella se soñó muerta entre gusanos y ratas; **pero** nunca tan muerta como los años en que vivió con aquel marido.

En cuanto a la palabra "sino", irá sin coma cuando no esté antecedida por una proposición contraria completa. Ejemplos:

En esos días el gobernador no veía **sino** su interés personal.

En esos días el gobernador no veía el bien de nuestro Estado, **sino** su interés personal.

7. Indicar que un verbo fue suprimido (elipsis), porque ya se expresó con anterioridad y por lo tanto no hace falta repetirlo. Ejemplos:

Tú comerás torta de jamón y yo, de milanesa. (El verbo omitido es "comeré".)

Los alumnos de primero escribirán cuentos; los de segundo, guiones cinematográficos y los de tercero, ensayos acerca de la creación literaria. (El verbo omitido dos veces es, obviamente, "escribirán".)

Aarón Loewenthal era, para todos, un hombre serio; para sus pocos íntimos, un avaro (Jorge Luis Borges).

También se indica con una coma la omisión de un verbo que, aunque no aparezca antes, se sobrentiende. Ejemplos:

Tú, la razón de mi alegría. (El verbo omitido es "eres".)

La enfermedad, la hambruna y la guerra, interminables desgracias para la mayor parte de la población mundial. (El verbo omitido es "son".)

8. Señalar que la sintaxis sujeto-verbo-complemento ha sido alterada. Ejemplos:

Esta noche, en la sala Manuel M. Ponce del INBA, Leonardo presentará su novela. (Leonardo presentará su novela esta noche en la sala Manuel M. Ponce del INBA.)

Desde aquel día, no volví a verla. (No volví a verla desde aquel día.)

En mi opinión, el lenguaje es la capacidad humana por excelencia.

Para mí el lenguaje es la capacidad humana por excelencia.

En este último ejemplo, falta la coma (,) después de "Para mí,"; sin embargo, son muchos los autores que no la usan en casos como este, pues la alteración sintáctica es mínima y, además, no hay posibilidad de confusión.

9. Indicar que se ha invertido el orden de dos proposiciones en una oración. Ejemplos:

Porque sólo había trabajado intelectualmente, Diego no era capaz de hacer ningún tipo de trabajo físico.

Si terminan de pintar su casa, Alex y Carla irán con nosotros al cine.

10. Señalar que cierta parte de la oración es accesoria y tiene carácter explicativo y no determinativo (especificativo). Ejemplos:

Los estudiantes, **que llegaron anoche de Mérida,** se asustaron por el temblor.

Los estudiantes que llegaron anoche de Mérida se asustaron por el temblor.

En el segundo ejemplo se dice qué estudiantes se asustaron por el temblor. "Que llegaron anoche de Mérida" es, entonces, una forma de identificarlos; mientras que en el primer caso, "que llegaron anoche de Mérida" es una explicación adicional que puede decirse o no.

Un ejemplo en el que se hace plenamente manifiesta la importancia de este tipo de coma es: "El doctor López, **que tiene especialidad en oncología,** fue quien la curó."

Al poner entre comas ", **que tiene especialidad en onco-logía,**" indicamos el carácter incidental, tan poco determinativo para el acto de curar como si dijéramos: El doctor López, **que vive junto a mi casa,** fue quien la curó, o el doctor López, **cuya hija se ganó la lotería,** fue quien la curó. En cambio si decimos: "El doctor López que tiene especialidad en oncología fue quien la curó", la expresión "**que tiene especialidad en oncología**" es una especificación: sí es determinativa. Un último ejemplo:

Me tomé la leche que estaba fría. (Significa que se acabó la leche fría: me tomé esa leche: **la que estaba fría.**)

Me tomé la leche, que estaba fría. (Significa que tomé leche y ", que estaba fría," es un comentario adicional, una opinión acerca de la leche.)

11. Destacar las frases incidentales: las que pueden ser eliminadas de la oración principal sin que esta pierda su sentido. Ejemplos:

La envidia, **dice Alberto Alberoni,** es un retroceso, una retirada, una estratagema para sustraernos de la confrontación que nos humilla.

Michoacán, **santuario de las mariposas monarca y sede de los congresos de novela,** es un estado que posee suelos muy fértiles en los que se cultiva arroz, garbanzo, frijol, maíz, ajonjolí, caña de azúcar, café, etcétera.

Los problemas políticos, **así piensa mucha gente,** deben interesar a toda la población.

En el puerto de Progreso, **situado a 20 kilómetros de Mérida,** pronto comenzará la "temporada" y habrá diversión para todos.

Buenos Aires, **capital de Argentina,** fue un importantísimo centro de producción editorial hasta hace pocos años.

Isabel, **la hermana de Beto,** terminó su doctorado en Biología este semestre.

IMPORTANTE: Sólo será correcto separar con una coma el sujeto y el verbo principal de una oración cuando se trate de resaltar el carácter incidental de la idea o proposición que se interpone entre uno y otro. De ahí que resulte imprescindible señalar con una segunda coma que la frase incidental ha concluido. Por ejemplo: "El árbol de tu casa, que sembramos juntas, está gigantesco." La oración es: El árbol de tu casa está gigantesco. Por lo tanto, el comentario incidental: **, que sembramos juntas,** irá entre comas, pues de esa forma destacamos que puede quitarse. En consecuencia, oraciones como las siguientes constituyen ERRORES: 1. Pepe y su mamá, que viven cerca siempre vienen en coche. 2. Tu profesora de español, vendrá mañana. 3. Los niños aplicados de nuestro colegio, irán al Museo del Papalote. 4. Tú, bien lo sabes eres mi mejor amiga. Esta clase de errores, tan comunes entre nosotros, se deben a que no se pone la segunda coma de la idea incidental (oraciones 1 y 4) o, a la creencia de que cuando el sujeto es largo, extenso, se debe poner coma "para respirar" (2 y 3). Las oraciones 1 y 4 necesitan, para ser correctas, la segunda coma: "Pepe y su mamá, que viven cerca, siempre vienen en coche." "Tú, bien lo sabes, eres mi mejor amiga." Las oraciones 2 y 3 deben escribirse sin la coma luego del sujeto: "Tu profesora de español vendrá mañana." "Los niños aplicados de nuestro colegio irán al Museo del Papalote."

Recuerda que el verbo principal, como los actores en las películas, no siempre es el que aparece primero en la escena de la oración.

12. Provocar un efecto más enérgico y sorprendente en una enumeración literaria al sustituir las conjunciones. Con este procedimiento denominado asíndeton, se altera el ritmo: el texto se siente más veloz y, en ocasiones, adquiere un tono más dramático e intenso.

Veamos en los siguientes ejemplos cómo las conjunciones **y, e** son sustituidas por coma:

Quería contarle mis nuevas ideas, comunicarle un proyecto grandioso, inyectarle mi ardiente fe.   Ernesto Sabato

Llegué al edificio, me sequé las lágrimas con un clínex, subí las escaleras, **toqué** el timbre del departamento cuatro. Salió una muchacha de unos quince años. [...] Mientras hablaba la muchacha pude ver una sala distinta, sucia, pobre, **en desorden**.
                                                          José Emilio Pacheco

Al fin me abrió Mariana: fresca, hermosísima, **sin maquillaje**.
                                                          José Emilio Pacheco

Si analizamos los ejemplos anteriores notaremos que la inesperada ausencia de una conjunción (y, e, etc.,) para rematar una serie, sumada a la presencia de una palabra o frase que sintetice o condense los elementos de dicha serie, provoca un buen efecto: sorpresa, velocidad, vigor narrativo.

Punto y coma

El punto y coma tiene cuatro funciones fundamentales:
a) Relacionar ideas largas o complejas pertenecientes a un mismo tema;
b) Indicar que el sujeto de una serie de enunciados es el mismo. Sirve igualmente para dejar sobrentendido un verbo principal que se repetiría en varias ideas sucesivas;
c) Vincular ideas adversativas. (Aquellas que emplean conjunciones tales como: aunque, pero, sin embargo, no obstante...), y
d) Separar los incisos en textos legales, didácticos, médicos... Cada uno empezará con mayúscula y el último llevará coma antes de la conjunción **y**.

Expliquemos dichas funciones extensamente.

El punto y coma, que indica una pausa mayor que la coma y menor que el punto, nos permite:

1. Separar dos o más enunciados —normalmente largos o complejos— que por referirse al mismo tema formen un periodo o cláusula. Ejemplos:

Lentamente el sol comienza a penetrar la capa grisácea que cubre la ciudad de México; los trabajadores avanzan esquivando a los mendigos; el comercio ambulante se instala en banquetas, bocas del Metro y paradas de autobuses.

Prosigue a lo lejos el volteo loco y jovial de las campanas; estallan cohetes; se oye una música; el cielo diáfano se ha tornado oscuro, y parpadean las estrellas. Azorín

2. Relacionar series de términos que internamente estén separadas por comas. Ejemplos:

Esta tarde, en la Universidad, habrá cuatro conferencias simultáneas: Pérez hablará de los filósofos presocráticos; López, de Nietzsche; Martínez-Centello, de Platón, y Hernández, de Heidegger.

El mayor de los hijos del Dr. Leal es guapo; el segundo, aceptable; el tercero, un adonis.

Observa que en estos dos ejemplos la coma indica omisión del verbo: en el primer caso se elimina "hablará", y en el segundo "es". El punto y coma, además de coordinar y separar las series, evita confusiones.

Veamos ahora un par de ejemplos en los cuales las comas internas señalan el carácter incidental de aquello que flanquean.

Latas de refresco aplastadas; cajas de cartón con manchas de tomate; carteles con imágenes de futbolistas, nacionales y extranjeros, en todas las paredes; jarras de plástico, ganadas en la feria dominical, llenas de cerveza tibia o de otro líquido de color semejante; colillas, lo mismo de cigarro que de puro, y muchos restos más dejó en el cuarto de Pepe la "convivencia deportiva juvenil": el Campeonato de Futbol había terminado.

Vendrán a cenar Inés, Lourdes y Carla, a quienes invitó tu hermana; la familia Álvarez; Juan Pérez y Esteban Sánchez, compañeros de mi trabajo, con sus respectivas esposas; el director de la escuela; tu madrina; algunos vecinos y, si quieres, tú invita a una amiga: es tu cumpleaños.

3. Separar oraciones coordinadas mediante las conjunciones adversativas "pero", "aunque", "sin embargo", "mas", etcétera. Ejemplo:

Que un chico busque los lugares en que padeció un personaje de novela es ya asombroso; pero que lo haga un novelista, alguien que sabe hasta qué punto esos seres no han existido sino en el alma de su creador, demuestra que el arte es más poderoso que la reputada realidad.
Ernesto Sabato

En algunos enunciados podemos eliminar dichas conjunciones, pues el punto y coma señala la oposición entre las ideas que relaciona. Veamos algunos ejemplos en donde depende del estilo escribirlas u omitirlas:

El cuento clásico a la Poe contaba una historia anunciando que había otra; el cuento moderno cuenta dos historias como si fueran una sola.
Ricardo Piglia

En cuanto le avisaron que sus enemigos venían por él, saltó al jeep y se perdió en el bosque; **sin embargo**, esa tarde lo alcanzaron.

En cuanto le avisaron que sus enemigos venían por él, saltó al jeep y se perdió en el bosque; esa tarde lo alcanzaron.

Le preguntaron su nombre; no lo dijo.

Le preguntaron su nombre; **sin embargo**, no lo dijo.

Le preguntaron su nombre; **mas** no lo dijo.

Le preguntaron su nombre; **pero** no lo dijo.

Le gustaba caminar solo por la plaza; **pero** si encontraba un amigo, aceptaba la compañía.

Es aconsejable separar con coma las oraciones adversativas breves o muy simples; sin embargo, si aún siendo breves se desea hacer énfasis en la oposición de las ideas, el punto y coma será correcto: es cuestión de estilo.

En cuanto a la frontera compartida por el punto y seguido y el punto y coma, diremos que en aquellas ocasiones en que se trate de separar dos ideas afines, el punto y seguido otorga un efecto más contundente: más definitivo. Partamos de un ejemplo:

La hija de Don Carlos quedó un poco como sin llegar a darse cuenta exacta. Lloró; después se le secaron las lágrimas. Dejó de rezar; enflaqueció; se pasaba todo el tiempo como abstraída frente a un árbol del patio, y algunas veces cantaba como los niños, repitiendo las mismas palabras con un sonsonete cansino.

Arturo Uslar-Pietri

Cambiemos, por razones didácticas, los signos del punto y coma por punto y seguido.

La hija de Don Carlos quedó un poco como sin llegar a darse cuenta exacta. Lloró; después se le secaron las lágrimas. Dejó de rezar. Enflaqueció. Se pasaba todo el tiempo como abstraída frente a un árbol del patio, y algunas veces cantaba como los niños, repitiendo las mismas palabras con un sonsonete cansino.

Aquí vemos cómo "Dejó de rezar. Enflaqueció. Se pasaba todo el tiempo como abstraída [...]" resultan más graves separadas por punto y seguido; coordinadas por punto y coma el efecto es diferente: sentimos el fluir de la desgracia de la protagonista en distintas acciones. Así, pues, dependerá de la intención narrativa elegir punto y coma o punto y seguido para enlazar este tipo de enunciados hermanados entre sí por un tema o aspecto común. Notemos que en el enunciado "Lloró; después se le secaron las lágrimas" no hicimos el cambio a punto y seguido, porque no conviene: las ideas Llorar y **secarse las lágrimas** son mucho más próximas temporalmente que "Dejó de rezar". "Enflaqueció".

4. Indicar que el sujeto, sólo presente en la oración principal, corresponde a los distintos verbos de las oraciones secundarias. Este punto y coma, además de separar dos ideas afines, relativas al mismo tema, recupera el sujeto de la oración. Ejemplos:

> La versión moderna del cuento que viene de Chéjov, Katherine Mansfield, Sherwood Anderson, el Joyce de Dublineses, abandona el final sorpresivo y la estructura cerrada; trabaja la tensión entre las dos historias sin resolverla nunca".   Ricardo Piglia

> La versión moderna del cuento que viene de Chéjov, Katherine Mansfield, Sherwood Anderson, el Joyce de Dublineses, abandona el final sorpresivo y la estructura cerrada; (la versión moderna del cuento que viene de Chéjov, Katherine Mansfield, Sherwood Anderson, el Joyce de Dublineses,) trabaja la tensión entre las dos historias sin resolverla nunca.

> Orozco, como Siqueiros, ama el movimiento; como Rivera, es monumental.   Octavio Paz

> Orozco, como Siqueiros, ama el movimiento; (Orozco) como Rivera, es monumental.

5. Señalar que el verbo de la oración principal debe sobrentenderse en las demás frases en que está omitido.

Analicemos un ejemplo tomado de Visión de Anáhuac, de Alfonso Reyes:

> Allí venden —dice Cortés— joyas de oro y plata, de plomo, de latón, de cobre, de estaño; huesos, caracoles y plumas; tal piedra labrada y por labrar.

> Allí venden —dice Cortés— joyas de oro y plata, de plomo, de latón, de cobre, de estaño; (venden) huesos, caracoles y plumas; (venden) tal piedra labrada y por labrar.

En el ejemplo anterior, cada punto y coma separa las series de elementos según la materia de que se trate (joyas, artículos decorativos y piedras). Además, "venden" es el verbo sobrentendido. Veamos otro ejemplo:

A las voces del coronel comenzaba a ponerse en marcha la monto-
nera. Desfilaban desordenadamente cargados con las armas y con
el botín del saqueo. Algunos llevaban una gallina amarrada a la
cintura; otros, sobre el hombro, bajo el fusil, una colcha amarilla;
otros un par de botas.   Arturo Uslar-Pietri

A las voces del coronel comenzaba a ponerse en marcha la monto-
nera. Desfilaban desordenadamente cargados con las armas y con
el botín del saqueo. Algunos llevaban una gallina amarrada a la
cintura; otros, sobre el hombro, bajo el fusil, (llevaban) una colcha
amarilla; otros (llevaban) un par de botas.

6. Separar los incisos en textos científicos, legales, didácticos, salvo el último si va precedido por una conjunción (y, e),
pues en ese caso siempre llevará **coma**. Observa que cada inciso
debe comenzar con mayúscula. Ejemplo:

Ayer leí un libro de Derecho que estaba dividido en: a) La propiedad
de las obras intelectuales; b) Nuevas imposiciones tributarias para
los creadores de arte y ciencia en México; c) Algunas exenciones, **y**
d) El derecho de autor en los países europeos.

Finalmente, destaquemos que en una serie coordinada por
punto y coma es posible que algunos de los elementos
comiencen con **y**. En el esquema abstracto quedaría así: AAA; y
BBB; y CCC; DDD, **y** EEE. O bien A; **y** B. Citemos un ejemplo.
Dice Alfonso Reyes en Visión de Anáhuac, al referirse a las
campañas de los jóvenes del Centenario:

Un día inventaron, para sustituir los cursos de Literatura, no sé
qué casta de animal quimérico llamado 'Lecturas comentadas de
producciones literarias selectas'; **y** puedo aseguraros que los
encargados de semejantes tareas, por ilustres que fueran en su
obra personal de escritores, no tenían la menor noticia de lo que
pudiera ser un texto comentado: unas veces se entregaban a
vaguedades sentimentales, **y** otras iban frescamente a acabar en
clase el libro que, para su deleite propio, habían comenzado a leer
en su casa.

En suma: el hecho de que, al igual que con los incisos, el
último elemento de una serie deba separarse con , **y** no debe
crear el prejuicio de que siempre antes de **y** irá una coma.

Punto (seguido y aparte)

El punto sirve para:

a) Indicar que ha concluido una oración, un párrafo o un texto;

b) Concluir una abreviatura, y

c) Señalar el cierre de un texto con " " (comillas) siempre y cuando no vaya una coma.

Elegir entre punto y seguido, punto y aparte, punto y coma o dos puntos en determinada oración o frase no es, en literatura ni en el periodismo de fondo, un problema exclusivamente gramatical: porque a diferencia de una carta con fines comerciales, laborales, financieros, etc., cuando se escribe para matizar las ideas, ponderar sus valores internos y lograr un efecto en el lector, es decir, cuando no sólo se busca comunicar datos, opiniones u órdenes de trabajo, sino conmover o incitar a un pensamiento reflexivo, la puntuación es decisiva: es el esqueleto de la forma de pensar y, por eso mismo, aunque la gramática procura ofrecer reglas generales para los usos correctos de cada uno de estos signos, en el caso del punto y seguido, punto y aparte, punto y coma y dos puntos, podrá más el estilo del autor, que —conocedor de las reglas— elegirá en cada caso la combinación de signos que le permita imprimir a su escrito velocidad, vigor y sorpresa por el modo en que amalgame, distribuya y organice sus palabras.

La función del punto es marcar que el sentido gramatical y lógico de un periodo ha llegado a su fin. De ahí que el **punto y seguido** refleje proximidad entre dos pensamientos que, si bien no están enlazados de manera íntima como lo indicaría el punto y coma, son bastante cercanos entre sí. En cambio, el **punto y aparte** expresa que el discurso ha cambiado de dirección, ya sea porque el tratamiento de cierta idea ha concluido, o bien, porque el ángulo o perspectiva con que se abordará es distinto.

IMPORTANTE: Después de los signos de interrogación y admiración jamás debe ponerse punto.

Veamos un ejemplo de ERROR:

¿Estás seguro de que quieres ir a Guadalajara?.

El punto después de una interrogación es ocioso: tanto el signo de cierre de interrogación como el de admiración señalan el fin del enunciado.

Dos puntos (uso gramatical y literario)

Los dos puntos permiten:
a) Abrir a una enumeración de elementos comunes, ya sean palabras o frases breves.
b) Concluir el saludo o tratamiento de una carta personal o comercial.
c) Indicar cambio de voz narrativa. También sirve para marcar que una frase textual es ajena al discurso principal.
d) Señalar quién es el autor de una frase o declaración.
e) Expresar relaciones complejas de simultaneidad, precisión, sucesión y causalidad.

Las formas convencionales de emplear los dos puntos son:

1. Inaugurar una enumeración o serie de elementos semejantes. Ejemplos:

Vinieron todos los invitados: empresarios, líderes sindicales y funcionarios públicos.

Ahí vienen los mejores amigos de Juan: Pepe, Ema, David, Lalo y Tito.

Hay fruta: sandía, naranjas, mandarinas, mangos y uvas.

Es común que cuando se va a iniciar una serie, los dos puntos vayan después de palabras **como: por ejemplo: son: de la siguiente manera: a saber: es decir:** etc., etc.

IMPORTANTE: No son necesarios los dos puntos delante de todas las series; de hecho, cuando éstas carecen de complejidad o son breves, lo mejor es evitarlos.

2. "Cerrar" el saludo o tratamiento en una carta o cualquier otro documento. Ejemplos:

Querida amiga: A quien corresponda: Estimado Sr. Pérez: etc.

3. Nombrar al autor de una declaración. En revistas y periódicos es muy común este uso de los dos puntos. Ejemplo:

Defenderé el peso como perro: José López Portillo.

(En este caso lo que se suprimió fue un verbo declarativo: "dijo", "señaló", "afirmó", etc.)

4. Indicar una frase textual ajena al discurso. Ejemplos:

El escritor peruano Julio Ramón Ribeyro murió en diciembre de 1994. Una de sus últimas declaraciones fue: "Cada cuento que he escrito ha sido el fruto de un accidente espiritual, de ideas o experiencias que me divirtieron, me sobrecogieron o me marcaron. Su dispersión y variedad provienen de que cada cuento jalona y a veces simboliza las alternativas de mi propia vida, el ritmo elíptico de una existencia más bien morosa, dispar y vagabunda. Escritos en bares, hoteles, barcos, pensiones u oficinas, cada cual tiene su propia historia, su propio destino, y agruparlos en serie es una tarea arbitraria..."

5. Cambio de voz narrativa: del narrador a un personaje. Ejemplos:

Alguna vez probó apenas una tisana de manzanilla, y la devolvió con una sola frase: Esta vaina sabe a ventana.

Gabriel García Márquez

Al separarte, agotado, de su abrazo, escuchas su primer murmullo: Eres mi esposo.
Carlos Fuentes

Uso literario de los dos puntos:

Señalar una relación de causalidad entre un hecho y otro.

Ejemplos:

a) Emilia perdió hasta el último centavo en la ruleta: se suicidó anoche. b) Emilia se suicidó anoche: perdió hasta el último centavo en la ruleta.

En el ejemplo a) los dos puntos están reemplazando las expresiones "**en consecuencia**" o "**por lo tanto**"; en el b) están en lugar de la palabra "**porque**" o, "**pues**".

(Relee el párrafo e incluye en cada caso las palabras suprimidas para que compruebes el significado de los dos puntos.)

Colocar **la causa** después de los dos puntos es útil cuando, además de expresar el vínculo causa-efecto entre dos acciones, se busca dar un matiz de revelación: sorprender.

Además de la impresión de sorpresa y pulcritud que puede obtenerse con el uso de los dos puntos, estos producen un efecto estilístico si se usan en vez de coma: amplían la pausa que esta indicaba. Pero lo más importante es que los dos puntos definen la idea expresada, porque al separar el enunciado en dos términos, establecen una relación específica entre ellos: **causalidad, simultaneidad, sucesión** o **precisión**.

Ahora bien, hay ejemplos de autores que usan los dos puntos para indicar **contraposición**; sin embargo, el punto y coma es el signo que, desde mi punto de vista, expresa mejor la **relación adversativa**, por lo que sugiero el empleo literario de los dos puntos para las relaciones de causalidad, precisión, simultaneidad y sucesión: no sólo imprimen vigor y rapidez al texto literario, sino que son fáciles de captar por los lectores contemporáneos. Los dos puntos estructuran los enunciados: son una frontera que divide y define en un binomio de significado un pensamiento complejo. Veamos, pues, las relaciones que permite establecer este signo de puntuación. Comprendámoslas a través de ejemplos literarios.

1. **Causalidad**.

Los dos puntos sustituyen las palabras: "por lo tanto", "en consecuencia", "así que", "por lo que", etc.

> Ella no entendió nada: volvió a encogerse de hombros sin hablar y se fue.
> Gabriel García Márquez

2. **Simultaneidad**.

Los dos puntos sustituyen las palabras "mientras", "cuando", "en tanto que", etc. Los hechos mencionados en los dos términos —antes y después de los dos puntos— son simultáneos en la realidad o en el pensamiento del narrador.

> Las velas volvieron a hincharse y los dos viejos amigos jugaron a las cartas en el camarote del capitán yanqui: navegaban sobre un mar tórrido, lento, desde el cual apenas se percibía la línea de costa, perdida detrás de un velo de calor.
> Carlos Fuentes

3. **Sucesión**.

Los dos puntos sustituyen las palabras "entonces", "luego", "en seguida", "a continuación", "después", etc. Los hechos mencionados en los dos términos —antes y después de los dos puntos— suponen una relación temporal, pero no forzosamente de causa-efecto: primero ocurre **a** y luego **b**. **a : b**.

> Ludivinia gritó en silencio y se retrajo hacia el fondo de la cama: los ojos hundidos se abrieron con espanto y todas las cáscaras del rostro parecieron pulverizarse.   Carlos Fuentes

4. **Precisión**.

Habrás observado que cuando se establece el vínculo de **precisión** mediante los dos puntos, el enunciado queda, por así decirlo, partido por la mitad: en dos términos. En el primero, generalmente, se encuentra lo que se precisará y en el segundo, la precisión, la cual podrá ser a todo el primer término, a una parte, o, incluso a una sola palabra.

> Entre nosotros no hubo amor ni ficción de amor: yo adivinaba en ella una intensidad que era del todo extraña a la erótica, y la temía.   Jorge Luis Borges

4.1. **Precisión a una palabra del primer término**.

> La calesa se detuvo y **él** saltó, empuñando el fuete sobre las cabezas oscuras, gritando que abrieran paso: alto, vestido de negro, con el sombrero galoneado metido hasta las cejas...   Carlos Fuentes

4.2. **Precisión a una parte del primer término**.

Alucinado por el cuerpo tremolante de aquella criatura no pudo usted darse cuenta de que **los amores primarios**, como los puntos cardinales, **son cuatro:** de un hombre a una mujer, de una mujer a un hombre, de un hombre a otro hombre y de una mujer a otra mujer.   Renato Leduc

4.3. **Precisión a todo el primer término**.

Sólo sé que en tu vida perdiste lo que después me hiciste perder a mí: el sueño, la inocencia.   Carlos Fuentes

En suma, es posible sustituir con los dos puntos palabras y expresiones como: "mientras", "cuando", "es decir", "que" (relativo y anunciativo); **verbos** (declarativos) como: "dijo", "comentó", "explicó"...; (de percepción) como: "notó", "vio", "escuchó", "sintió"..., y hasta frases completas.

Puntos suspensivos

a) Interrumpir deliberadamente un periodo que no es necesario continuar, pues ya se conoce (refranes, frases célebres, etc.);
b) Sustituir la palabra etcétera;
c) Anunciar en una frase una continuación o salida inesperada;
d) Interrumpir deliberadamente un periodo para expresar duda, vaguedad, resentimiento, temor o incertidumbre, y
e) Indicar que una cita textual está incompleta.

Tal como se deriva de su nombre, los puntos suspensivos sirven, fundamentalmente, para indicar que dejamos **en suspenso** lo que decíamos. Ejemplo:

Me habría gustado que fueras arquitecto pero...

¿Qué funciones desempeñan los puntos suspensivos? Para dar una respuesta, lo mejor es pensar en el carácter de lo que ocultan.

Con los puntos suspensivos:

1. Se elimina lo que es obvio, sabido, y que por lo tanto no requiere ser declarado. Ejemplos:

Todas las mañanas, en el gran patio, los niños de la escuela Guadalupe Victoria entonan el himno nacional: "Mexicanos al grito de guerra, el acero aprestad y el bridón..."

Las películas de amor casi siempre terminan con una escena en que la pareja está ante un altar y una voz extasiada dice: los declaro...

Es lógico que los escritores jóvenes deseen la fama, el reconocimiento instantáneo; pero como dice el refrán: "No por mucho madrugar...."

Eres un hijo de..., le dijo Pepe a Jorge.

En estos cuatro enunciados se ve que los puntos suspensivos sirven para **interrumpir lo que no es preciso declarar porque**

ya lo saben quienes están leyendo y, en general, toda la gente. (Todos conocemos el himno nacional, lo mismo que la célebre frase: los declaro marido y mujer, y qué decir de los lugares comunes, los refranes y dichos populares como el que sentencia: "No por mucho madrugar amanece más temprano.") Desde luego, a nadie escapa la función moralista que la sociedad ha endilgado a los puntos suspensivos: a ellos corresponde "proteger" la pureza auditiva y visual de la "inocente población".

2. Se omite algo que debería decirse; pero que el escritor calla deliberadamente con la intención de **imprimir un tono de duda, incertidumbre, resentimiento, temor o vaguedad a** una frase. Ejemplo:

> Mi llanto rompía el compromiso tácito de no comentar nuestra desgracia; mis hermanas me rodearon afligidas y mi padre, enjugándose las lágrimas, refirió pormenores que me había estado reservando...
> José Vasconcelos

Si en narrativa los puntos suspensivos son para el lector, en teatro son —por excelencia— para el actor: es él quien comprenderá la intencionalidad de la frase escrita por el dramaturgo y la expresará en escena. En el guión de teatro los puntos suspensivos también suelen aparecer solos, como si fuesen el parlamento de un personaje: significan silencio, y este silencio será interpretado según el contexto y la idea del director.

3. Se elude la palabra etcétera en una enumeración cuando su presencia resulta tosca, ociosa, fuera de lugar. Al sustituir un **etcétera**, los puntos suspensivos sugieren de forma sutil lo mismo: que la enumeración —ya sea de palabras o de frases— continúa. Ejemplo:

> Le explicó que su hermano había muerto inmediatamente, que nadie logró salvarse, que el autobús se había despeñado por la barranca... (En este caso, la palabra etcétera sería por demás torpe.)

También puede eliminarse la palabra **etcétera** por razones de estilo, y concluir una enumeración cualquiera con puntos suspensivos. Ejemplo:

> En aquella fiesta había pintores, escultores, bailarinas, dramaturgos, novelistas, poetas...

4. Se imprime fuerza a una "salida" inesperada. Esto significa que el escritor interrumpe una frase con puntos suspensivos y en lugar de reanudarla de un modo previsible, ofrece una continuación sorpresiva. Ejemplo:

Nada podía decirle ya Juan a Carolina... estaba muerto.

Este mismo efecto de **sorpresa, revelación,** puede obtenerse con los dos puntos. Sin embargo, en ciertas ocasiones es más aconsejable poner puntos suspensivos, pues el lector reconoce la pausa y la asume, con lo que se incrementa la efectividad de la frase.

5. Se indica que las palabras de algún autor han sido citadas textualmente, pero de manera incompleta.

Propios del género del ensayo y de la reseña, los puntos suspensivos también resultan indispensables en las tesis y los trabajos académicos; deben ir acompañados por comillas al comienzo y al final de la cita.

Observa la siguiente cita textual. Pertenece a la antología *La crítica de la novela iberoamericana contemporánea.*

En su ensayo, Iber H. Verdugo afirma:
Paralelamente nuestra novelística ha desplazado un segundo problema: ha superado el regionalismo, el paisajismo predominante y absorbente, la temática de costumbrismo y telurismo; y ha alcanzado dimensión universal replanteando, desde perspectiva y circunstancia americanas, los problemas del hombre de siempre y, en especial, del contemporáneo (soledad, incomunicación, angustia, alienación), en las formas ligadas a la circunstancia local. Son buenos ejemplos de estas simbiosis de circunstancia y universalidad, entre los tradicionales: Azuela, Alegría, Gallegos, José María Arguedas; y entre las obras más nuevas: *La ciudad y los perros, Sobre héroes y tumbas, La muerte de Artemio Cruz, La fosa, El acoso, El siglo de las luces, El astillero, Rayuela...*

No se han abandonado el carácter y los conflictos específicos de la región social —*Gran Sertón Veredas, Los ojos de los enterrados, Cien años de soledad...*—, sino que se han colocado en circunstancia nuestra las manifestaciones de la condición humana universal, con lo que el conflicto local se profundiza en sus alcances de interpretación de la vida y revelación del hombre.

Analiza ahora esta misma cita con algunas alteraciones:

Paralelamente nuestra novelística ha desplazado un segundo problema [...] y ha alcanzado dimensión universal replanteando, desde perspectiva y circunstancia americanas, los problemas del hombre de siempre y, en especial, del contemporáneo (soledad, incomunicación, angustia, alienación), en las formas ligadas a la circunstancia local. Son buenos ejemplos de estas simbiosis de circunstancia y universalidad, entre los tradicionales: Azuela, Alegría, Gallegos, José María Arguedas; y entre las obras más nuevas: *La ciudad y los perros, Sobre héroes y tumbas, La muerte de Artemio Cruz, La fosa, El acoso, El siglo de las luces, El astillero, Rayuela...* [...]

Habrás notado que en unos casos los puntos suspensivos van entre corchetes y en otros no. En este ejemplo, los que no llevan corchetes significan "etcétera". Mientras que, los puntos que sí van entre corchetes significan que el párrafo no fue copiado íntegramente. Obviamente, cuando se realizan estas supresiones es fundamental no alterar la intención del autor. Cuando se carezca del recurso tipográfico de los corchetes, los paréntesis podrán ser utilizados.

En resumen: deberemos poner entre paréntesis (...) o entre corchetes [...] los puntos suspensivos —ya sea dentro de un párrafo o al final— para distinguirlos de otros puntos suspensivos que indican el deseo del autor citado de dejar incompleto un periodo o cláusula, o de suprimir la palabra etcétera, o para resaltar lo inesperado y extraño que habrá de decirse después. Entre paréntesis o entre corchetes, los puntos suspensivos obtienen un uso inequívoco: indicar al lector que la versión original de lo que se ha citado no está completa.

5. Se indica que el inicio de una cita está incompleto. Ejemplo:

...en el dominio del sintagma no hay límite tajante entre el hecho de lengua, señal del uso colectivo, y el hecho de habla, que depende de la libertad individual. Ferdinand de Saussure

Paréntesis, guiones cortos y largos

Los **guiones cortos** sirven para:
a) Indicar la oposición entre dos palabras o conceptos. También para apellidos compuestos;
b) Unir palabras que suelen escribirse separadas, y
c) Señalar que una palabra no cupo completa en un renglón.

Los **guiones largos** sirven para:
a) Señalar diálogos entre personajes en textos narrativos, ensayísticos o teatrales, y
b) Marcar acotaciones, digresiones e ideas incidentales que pueden ser importantes pero que no pertenecen al discurso principal.

Existen —como todos sabemos— dos tipos de guiones: los cortos y los largos. Y, aunque ciertos periódicos y editoriales los usan como si fuera cuestión de gusto, de aspecto gráfico, conviene recordar que cada uno de estos signos tiene funciones específicas.

Por medio de los **guiones cortos** indicamos:

1. La oposición entre dos palabras o conceptos. Ejemplos:

Hubo una guerra hispano-americana.

Myrna escribe su tesis acerca de las relaciones iglesia-estado en el México contemporáneo.

El conflicto serbo-croata parece no tener fin.

2. La independencia de dos palabras que generalmente aparecen juntas y que con el tiempo terminan por ser escritas sin guión. Ejemplos:

Relaciones socio-económicas; trabajo teórico-práctico; alimentos bio-energéticos, etc.

Este es también el caso de los apellidos compuestos: Arturo Uslar-Pietri, Francisco Sánchez-Cámara.

106

3. Que una palabra, interrumpida por falta de espacio, continúa en el siguiente renglón.

Es importante evitar el uso supuestamente estilístico que suele darse al guión, pues con el pretexto de "cuadrar" la página, secretarias y estudiantes llenan el margen derecho de guiones, lo cual es incorrecto.

Por medio de los guiones largos o **rayas** señalamos:

1. Diálogos de personajes, tanto en la narrativa (relatos, novelas y cuentos) como en las obras de teatro. Ejemplo:

Abordó el tren y miró con tristeza la inhóspita ciudad.

—¿Tampoco usted consiguió trabajo?, escuchó que le preguntaba un desconocido.

—No, no es por eso; si yo le contara...

2. Que hay una parte incidental dentro de una oración. Ejemplo:

Ellos se robaron los cuadros de tu casa —también se llevaron los de varios coleccionistas estadounidenses— porque tú nunca instalaste un sistema de seguridad.

Si bien es innegable que las comas, los guiones largos y los paréntesis sirven para destacar que una parte de la oración es prescindible, ajena a la idea principal que estamos desarrollando, en el momento de escribir es bueno atender al siguiente criterio: se elegirá ,, — — o ( ) dependiendo del grado de incidentalidad, es decir, mientras más ajeno o distante de la idea principal sea lo que se dice. En consecuencia, se pondrá entre paréntesis lo que es una digresión; guiones cuando se quiera indicar un grado de distancia más allá de lo que las comas hacen evidente. Ejemplo:

Cuando el cólera amenazó la vida de casi todo el pueblo esta primavera (mató a cientos en la de 1924), el doctor Luis Linares, siempre obstaculizado por el director de la clínica, nos ayudó muchísimo, le cuenta a su sobrino —desde la cama a la que fue trasladado hoy— uno de los convalecientes.

Aun en una oración relativamente sencilla, veremos que el escritor define, conforme a su propio estilo, el grado de ajenidad que existe entre la idea principal y lo que queda entre comas, paréntesis o guiones, según decida emplear uno u otro. No es, por lo tanto, el capricho sino una relación lógica, jerárquica la que determina el criterio para emplear un signo u otro.

Sin duda, alguien con demasiado sentido práctico podría sugerir que con asignarle a uno de los signos todas las funciones señaladas terminarían los problemas; pero, para expresar cabalmente la complejidad de ciertos pensamientos, se requiere más de un signo.

Veamos un ejemplo tomado de *La rebelión de las masas* de José Ortega y Gasset. Para que puedas apreciar el uso de comas, rayas y paréntesis, lee el texto dos o tres veces: omite en una lectura lo que está entre rayas y en otra, lo que está entre dos comas. Observarás que, como están bien puestas, el hilo del discurso no se interrumpe; notarás también —si comparas lo que ha sido puesto entre dos comas y entre paréntesis— cómo los signos indican la jerarquía y ajenidad de cada idea.

...la masa puede definirse, como hecho psicológico, sin necesidad de esperar a que aparezcan los individuos en aglomeración. Delante de una sola persona podemos saber si es masa o no. Masa es todo aquel que no se valora a sí mismo —en bien o en mal— por razones especiales, sino que se siente "como todo el mundo", y, sin embargo, no se angustia, se siente a sabor al sentirse idéntico a los demás. Imagínese un hombre humilde que al intentar valorarse por razones especiales —al preguntarse si tiene talento para esto o lo otro, si sobresale en algún orden— advierte que no posee ninguna calidad excelente. Ese hombre se sentirá mediocre y vulgar, mal dotado; pero no se sentirá "masa". [...]

Por "masa" —prevenía yo al principio— no se entiende especialmente al obrero; no designa aquí una clase social, sino una clase o modo de ser hombre que se da hoy en todas las clases sociales, que por lo mismo representa nuestro tiempo [...]

Pretender la masa actuar por sí misma es, pues, rebelarse contra su propio destino, y como eso es lo que hace ahora, hablo yo de la rebelión de las masas. Porque a la postre, la única cosa que sustancialmente y con verdad puede llamarse rebelión es la que consiste en no aceptar cada cual su destino, en rebelarse contra sí mismo. En rigor, la rebelión del arcángel Luzbel no lo hubiera sido menos si en vez de empeñarse en ser Dios —lo que no era su destino— se hubiese empecinado en ser el más ínfimo de los ángeles, que tampoco lo era. (Si Luzbel hubiera sido ruso, como Tolstoi, habría acaso preferido este último estilo de rebeldía, que no es más ni menos contra Dios que el otro tan famoso.)

Cuando la masa actúa por sí misma, lo hace sólo de una manera, porque no tiene otra: lincha. No es completamente casual que la ley de Lynch sea americana, ya que América es en cierto modo el paraíso de las masas.

Veamos ahora un ejemplo del uso del guión en narrativa. Se trata de un fragmento de *El infierno tan temido*, cuento del escritor uruguayo Juan Carlos Onetti.

—¿Para dónde iba? —dije y agregué—: Criatura.

—Para ningún lado —sonó trabajosa la voz extraña—. Siempre me gusta pasear de noche por la playa.

Pensé en el mozo, en los muchachos ingleses del Atlantic; pensé en todo lo que había perdido para siempre, sin culpa mía, sin ser consultado.

—Dicen... —dije. El tiempo había cambiado: ni frío ni viento. Ayudando a la muchacha a sostener la bicicleta en la arena al borde del ruido del mar, tuve una sensación de soledad que nadie me había permitido antes; soledad, paz y confianza.

—Si usted no tiene otra cosa que hacer, dicen que hay muy cerca un barco convertido en bar y restaurante.

La voz dura repitió con alegría inexplicable:
—Dicen que hay muy cerca un barco convertido en bar y restaurante.

La oí respirar con fatiga; después agregó:
—No, no tengo nada que hacer. ¿Es una invitación? ¿Y así, con esta ropa?

—Es. Con esa ropa. [...]

Aunque hay varias convenciones tipográficas acreditadas en la edición de obras de carácter literario, en general, cuando se trata de narrativa, la raya irá con sangría, mientras que en teatro irá al comienzo del renglón.

Observa también que cuando la raya indica que un personaje habla, se usa exclusivamente al comienzo, es decir, no se cierra. Asimismo, cuando el enunciado concluye con la acotación, no pondremos la segunda raya. Ejemplo:

—¿Me llamaste?

—No, —dijo Ema pensando en la paradoja de que daría la vida a cambio de la salud, o por lo menos de que Irma dejara de preocuparse hasta por los suspiros que ella aún no daba— no necesito ayuda.

—¿En serio?, yo puedo atenderte, para eso estoy, tú lo sabes.

—Lo sé.

—¿Y entonces?, ¿qué puedo hacer por ti? —insistió la voz ansiosa.

—Nada. En verdad. Te lo agradezco.

—Pero es que algo debes necesitar. No tengas vergüenza de pedir...

—No, gracias. Nada me hace falta —insistió Ema sin quitar el dedo índice del renglón en donde había suspendido su lectura.

—¿Te acomodo otra vez las almohadas?, seguramente ya se te escurrieron.

Observa que las rayas iniciales son para señalar cambio de personaje en el diálogo. En la segunda línea tenemos una acotación: "—dijo Ema pensando en la paradoja de que daría la vida a cambio de la salud, o por lo menos de que Irma dejara de preocuparse hasta por los suspiros que ella aún no daba—". El parlamento del personaje, interrumpido por la acotación, es: "—No, no necesito ayuda." Ahora relee la penúltima línea. Notarás que no cerramos la raya porque no continúan las palabras del personaje. "—No, gracias. Nada me hace falta —insistió Ema sin quitar el dedo índice del renglón en donde había suspendido su lectura."

En suma: es importantísimo comprender que este sistema de rayas no puede usarse acríticamente: en nuestro idioma, la raya sólo comparte con la coma esta función de separar ideas incidentales. En consecuencia será un error grave escribir — (raya) en vez de , (coma) fuera de un sistema completo de diálogos como el del ejemplo anterior. Veamos un par de oraciones con ERROR: a) Jorge le pidió a Catalina que lo esperara en el barco —como si creyera que ella aún no había adivinado que él no volvería. b) Pepe y Tomás sabían que sus secuestradores nunca los dejarían ir —no en vano habían visto muchas películas policiacas. En estos dos casos lo correcto es usar coma y no raya.

Finalmente, recuerda que igual que con los signos de interrogación y exclamación: **deberemos dejar un espacio entre la raya y la palabra que la preceda; pero nunca entre la raya y las palabras a que ésta se refiere**. Ejemplo:

Correcto: Tu hija —a quien hace varios años no veíamos— nos saludó en una playa de Acapulco.

Incorrecto: Tu hija — a quien hace varios años no veíamos — nos saludó en una playa de Acapulco.

Incorrecto: Tu hija— a quien hace varios años no veíamos —nos saludó en una playa de Acapulco.

Signos de interrogación y admiración

Estos signos son los más fáciles de usar, no provocan dudas como la coma, el punto y coma o los dos puntos; sin embargo, debido a la publicidad y a la influencia de otros idiomas, en lo que aquí insistiremos es en las reglas para su uso.

REGLAS:
a) Irán al principio y al final de las palabras o frases a las que se quiera dar ese carácter.
b) Funcionan como punto final, por lo que es ocioso poner punto después de dichos signos. Los demás signos de puntuación, en especial el guión y la coma, conviven perfectamente con los signos de admiración e interrogación.
c) Si las interjecciones van solas irán entre signos de admiración; si van dentro de una oración exclamativa, admirativa, se regirán por los signos de la oración completa.
d) Para indicar duda o ironía se pone (?) o (!) entre paréntesis inmediatamente después de la palabra a manera de comentario.

Aunque en teoría el uso correcto de estos signos no tiene problema alguno, la persistente influencia nociva de los anuncios publicitarios nos obliga a recordar **cuál es la forma correcta de usarlos en español** y no en "espanglish".

Mientras que en inglés sí es correcto que el signo de interrogación sólo se ponga al final, (por la estructura sintáctica de este idioma), **en español los signos de interrogación y admiración deben colocarse tanto al comienzo como al final del enunciado o frase al que se le quiera dar intención interrogativa o admirativa**. La razón es simple: en nuestro idioma, tan flexible y rico, no es necesario emplear auxiliares como en inglés (*Do, Does, Will, Can*, etc.,) para indicar que estamos haciendo una pregunta o una exclamación. Veamos algunos ejemplos: Tú vives aquí. (Afirmativa.) *You live here.* (Afirmativa.) ¿Tú vives aquí? (Interrogativa.) ***Do** you live here?* (Interrogativa.) Hemos visto, entonces, que en inglés se necesita el auxiliar ***Do*** además del signo de interrogación. Nosotros, hispanohablantes, tampoco requerimos cambiar de lugar el verbo: situarlo antes del sujeto para señalar que estamos haciendo una pregunta. Ella es feliz. ¿Ella es feliz? Podemos, si lo deseamos, preguntar: ¿Es ella feliz? Pero no es obligatoria la inversión de lugar entre sujeto y verbo. Observa que basta con poner los signos de interrogación para indicar que se trata de una pregunta, mientras que en inglés sí es forzoso hacer ajustes en el orden de las palabras: **She is** happy. (Afirmativa.) **Is she** happy? (Interrogativa).

En síntesis, en español única y exclusivamente necesitamos esto: **¿?** **¡!** En inglés, en cambio, además del signo final de interrogación o admiración es indispensable un reacomodo de los elementos de las palabras así como el uso de auxiliares.

Una vez zanjada la diferencia entre nuestro idioma y el inglés, en lo relativo a los signos iniciales de interrogación y admiración, diremos que, en general, las oraciones interrogativas y exclamativas pueden ser totales o parciales. Ejemplos:

Quiero cortar mi relación con la ciudad, con todos sus horrores y desgracias pero, **¿c**on qué tijeras? (Interrogativa parcial.)

Esta ciudad de México, en otros tiempos paseable y transparente, hoy vive oscura, enferma, aterrada, **¿c**ómo fue que lo permitimos? (Interrogativa parcial.)

Ya comenzó la Feria Internacional del Libro, ¡**q**ué emoción! (Exclamativa parcial.)

¿De veras te da emoción que comience la Feria Internacional del Libro? (Interrogativa total.)

¡Cómo me fastidia la gente como tú! (Exclamativa total.)

Habrás notado que cuando las exclamativas o interrogativas parciales van al final del enunciado, son antecedidas por una coma (,) y comienzan con minúscula.

En términos de puntuación cabe señalar que cuando se trata de una oración interrogativa o admirativa completa, los signos de cierre **?** y **!** sirven de punto final. No debe ponerse punto después.

Ejemplo de uso erróneo: ¡Qué coraje!. ¿Te da coraje?. Si se trata de una oración parcial, o si va acotada por alguna explicación o señalamiento como por ejemplo: ¡Qué coraje!, dijo Pepe. ¿Te da coraje?, le preguntó Lala a Pepe. Tanto **?** como **!** irán seguidos de coma.

Aunque generalmente elegimos la interrogación o la admiración respectivamente, cuando queremos indicar duda o asombro, la Real Academia Española admite la combinación de estos signos para subrayar la doble naturaleza de los sentimientos expresados. Ejemplos:

¿Que los seres humanos no pueden vivir aislados y, para colmo, tampoco en sociedad!

¿Pero cuándo nos dejarán en paz estos funcionarios de la Secretaría de Hacienda, Dios mío!

Asimismo, cuando se quiere manifestar ironía, es correcto poner un signo final de interrogación o admiración entre paréntesis inmediatamente después de la palabra que "deseamos comentar". Ejemplos:

Dijo Toño, el espléndido (!), que esta vez él paga la cuenta.

Tu amigo (?), el representante de la compañía automotriz, quiere que le llames por teléfono.

Comillas

Mediante las comillas podemos destacar:
a) Una cita textual;
b) Cualquier frase cuyo significado deba tomarse de manera distinta al del resto del texto al que pertenece (metafórica, irónica, literal...);
c) Apodos y sobrenombres;
d) Barbarismos y neologismos, y
e) Los títulos de libros y revistas (aunque estos, preferentemente, irán en cursivas).

Las comillas sirven para destacar una palabra o frase con la intención de indicar que, en sentido estricto, lo entrecomillado es extraño al discurso, ya sea porque esas palabras son de otro autor (cita textual), o porque su sentido debe ser interpretado de manera diferente (metafórica o irónica) de como se toma el resto del párrafo u oración.

En general se entrecomillan:

1. Las citas textuales, sentencias de autores célebres, pensadores y del lenguaje popular (dichos, lugares comunes, frases hechas). También los títulos de libros cuando se carece de letras cursivas. Ejemplos:

"Los manicomios están locos" y "Los dioses son tan locos que se parecen a sus manicomios" son dos de los versos que más me gustan; su autor es Ramón Martínez Ocaranza.

A Benito Juárez se le conoce en todo el mundo por su célebre sentencia: "El respeto al derecho ajeno es la paz."

El nombre completo de esa obra formidable que contiene los relatos de Schahrasad es: "Libro de las mil y una noches".

Cuando se cuenta con letras cursivas, los títulos de libros, películas, obras de teatro, etc., deberán señalarse así y no entre comillas: *Libro de las mil y una noches.*

2. Los apodos o sobrenombres. Ejemplo:

"El Fénix de los Ingenios" es Lope de Vega, y Miguel de Cervantes, "El Manco de Lepanto".

3. Los neologismos o barbarismos (palabras técnicas o palabras cuyo uso erróneo es tan popular que uno emplea con el fin de comunicarse). Las comillas indican precisamente que uno sabe que la palabra no es correcta de acuerdo con las normas gramaticales vigentes. Ejemplo:

En México no habrá justicia ni democracia mientras el "mayoriteo" sea el método habitual de proceder en las Cámaras de Diputados y Senadores.

4. Las palabras o frases a las que se quiere dar un sentido irónico o, según el contexto, literal o metafórico. Ejemplo:

Elvira le ayuda a su marido a "ahorrar" el dinero. Cada semana, esconde los pocos pesos que logra reunir entre los cambios del mercado y las monedas que Roberto, "el despilfarrador" como todos se refieren a él a sus espaldas, trae en la guantera de su coche.

Observemos que la palabra "ahorrar" ha sido destacada entre comillas para que el lector capte de inmediato que habrá de atribuirle un sentido figurado, metafórico, pues lo que hace Elvira se llama literalmente **sisar**. Otro tanto sucede con "el despilfarrador", fórmula irónica para nombrar a un avaro irredento.

Es importante no atribuir a las comillas toda la intención de una idea. Es el autor quien debe construirla. No es conveniente, sobre todo para la calidad y el vigor del texto, entrecomillar palabras y frases y esperar que sea el lector quien infiera o "adivine" todo aquello que —por falta de habilidad o, por prejuicio— no dejó escrito el autor, ya sea periodista, narrador, ensayista, dramaturgo o poeta.

Cuando dentro de una oración que va entrecomillada aparece una palabra o frase entrecomillada también, las comillas internas deberán ser simples, (' ') en tanto que las externas serán dobles (" "). Ejemplo:

En su libro *La nueva novela hispanoamericana*, Carlos Fuentes analiza la muerte de este género literario: el agotamiento de "los dos círculos tangenciales": la costumbrista y la psicológica. Afirma que con Flaubert se alcanza la culminación de la primera y con Proust y Joyce, la de la segunda. Páginas adelante, luego de explicar el carácter realista y burgués de la novela, comenta los trabajos narrativos de sus contemporáneos. A propósito de Julio Cortázar dice: "*Rayuela* ha sido saludada por el *Times Literary* simplemente como 'la primer gran novela de la América Española'. No sé si esto es estrictamente cierto; lo que sí se puede afirmar es que Julio Cortázar, este hombre alto, ojiazul, desgarbado, dueño de una estampa que desmiente su medio siglo, está escribiendo, desde sus habituales residencias en la Place du Général Beuret en París y en una granja desvencijada cerca de Signon donde la cañería, cuando no se congela, gruñe y protesta, la prosa narrativa más revolucionaria de la lengua española. Pero limitar a Cortázar a eso que Phillipe Sollers llama el 'latinocentrismo' sería un grave error."

En suma: en títulos de libros y revistas, en refranes o epígrafes, las comillas podrán sustituirse por un tipo de letra distinto de aquel en que esté escrito todo el texto. Lo único que sí resulta fundamental en esta clase de alteraciones es que el código o manera de usar los signos sea consistente.

Cuando las citas textuales son muy largas, de varios párrafos por ejemplo, es recomendable poner comillas invertidas al comienzo del segundo párrafo y de los sucesivos. Otro recurso para evitar que el lector se confunda es hacer un cambio tipográfico: reducir el tamaño de letra y el interlineado de la cita textual, así como reducir los márgenes. En todos los casos, si la cita textual no es íntegra, se indicará con puntos suspensivos entre paréntesis o entre corchetes en el sitio donde se ha suprimido una parte. (Véase el capítulo Puntos Suspensivos.)

Finalmente diremos que las comillas son una advertencia para el lector: además de los casos antes explicados, le indican que una palabra no debe ser leída por su significado en una oración, sino que se le verá, simplemente, como palabra. Ejemplo: Luisa buscaba otra palabra en vez de "atender". Gracias a las comillas entendemos que Luisa estaba buscando un sinónimo; sin las comillas, en cambio, la frase dice: Luisa buscaba otra palabra en vez de atender. La ausencia de comillas cambia todo el significado: no hay razón (ni puntuación) para que no supongamos que Luisa trabaja en una tienda o en un restaurante, y que no atiende por estar buscando una palabra. Tal vez está haciendo un crucigrama. Con las comillas bien puestas, no habrá lugar a dudas.

Para que no lo olvides ni siquiera un momento...
PUNTUACIÓN

No contestes esta sección si todavía no has estudiado la segunda parte de este libro.

Lee los siguientes fragmentos de canción. Analiza las palabras subrayadas. Piensa detenidamente si se trata del *sujeto de la oración*, o sea **de quien** *se habla*, ya sea persona, animal, cosa o idea abstracta, o es **a quien** *se le habla*, se le invoca, se le ruega, se le llama o se le reclama (*el vocativo*); alguien o algo que no está dentro del discurso, sino a quien se le están dirigiendo las palabras.

El vocativo debe ir entre comas si está en medio del enunciado; seguido de coma si va al inicio o antecedido de coma si va al final.

Ejemplo: Te vas, Alfonsina, con tu soledad (en medio). El vocativo es "Alfonsina".

ORTOGRAFÍA CON MÚSICA 𝄞

Ejercicio 104

Piensa en qué ocasiones el nombre Alfonsina es vocativo y en cuáles no. Coloca las comas necesarias.

Hay otro vocativo. Escríbelo aquí y ponle las dos comas en la canción. Es la palabra _____.

ALFONSINA Y EL MAR
(Compositores: Ariel Ramírez y Félix Luca)

Te vas Alfonsina con tu soledad
qué poemas nuevos fuiste a buscar.
[...]
Bájame la lámpara un poco más,
déjame que duerma nodriza en paz
y si llama él, no le digas nunca que estoy
dile que me he ido.

Te vas Alfonsina con tu soledad
qué poemas nuevos fuiste a buscar.
[...]
Bájame la lámpara un poco más,
déjame que duerma nodriza en paz
y si llama él, no le digas nunca que estoy
dile que Alfonsina no vuelve,
y si llama él, no le digas nunca que estoy
dile que me he ido.

ORTOGRAFÍA CON MÚSICA 𝄞

Ejercicio 105

Estudia los versos en que se menciona a María Cristina.
Piensa si en el contexto se habla de María Cristina o si se le
habla a María Cristina. Realiza el mismo trabajo con Manuel.
Añade las comas correspondientes cuando dichos nombres
funcionen como vocativo.

MARÍA CRISTINA
(Compositor: Ñico Saquito)

María Cristina me quiere gobernar
y yo le sigo, le sigo la corriente
porque no quiero que diga la gente
que María Cristina me quiere gobernar.

Que acuéstate Manuel... y yo me acuesto
que vamos a la playa... allá voy
que tírate en la arena... y me tiro
que quítate la ropa... y me la quito
que súbete en el puente... y me subo
que tírate en el agua... ¡en el agua!

No, no, no María Cristina
que no y que no, que no y que no,
porque María Cristina me quiere gobernar
si no... ¡ay!, me quiere gobernar
oye... ¡ay!, me quiere gobernar
anda... ¡ay!, me quiere gobernar.

María Cristina me quiere gobernar [se repite]

Que vamos a Corea... allá voy,
que te peguen veinte tiros... que me los peguen,
que vete pa'l infierno... allá voy,
que quítate la ropa... y me la quito,
que tírate en el río... ¡en el río!

No, no, no María Cristina
que no y que no [se repite]
Que búscate trabajo... y me lo busco,
que vamos pa' la casa... allá voy
que siéntate Manuel... y me siento,
que vamos a la ducha... allá voy,
que quítate la ropa... y me la quito,
que báñate Manuel... ¿quién?, ¿yo?
¿Bañarme?, no, no, no María Cristina
[...]

Ejercicio 106

El vocativo no necesariamente es el nombre de una persona. Pueden funcionar como vocativos los lugares, las ideas abstractas, los apodos, los sentimientos, los animales, etc. La condición es que en el discurso o texto *se les hable (invoque, ordene, pida) a ellos; no que se hable de ellos.* Subraya el vocativo, si es que hay. Coloca la coma cuando sea necesario.

1. ¿A qué le tiras cuando sueñas mexicano?
   Chava Flores
2. Veracruz algún día hasta tus playas lejanas tendré que volver.
   Agustín Lara
3. Adiós Mariquita linda ya me voy porque tú ya no me quieres como yo te quiero a ti...
   Marco Jiménez
4. De la Sierra Morena cielito lindo vienen bajando un par de ojitos negros cielito lindo de contrabando.
   Quirino Mendoza y Cortés
5. Alma mía siempre sola, sin que nadie comprenda tus sufrimientos, tu horrible padecer...
   María Greever
6. Vida si tuviera cuatro vidas, cuatro vidas serían para ti.
   Justo Carreras

7. ¡Ay Jalisco no te rajes!, me sale del alma gritar con calor, abrir todo el pecho pa' echar este grito ¡Qué lindo es Jalisco palabra de honor!

Ernesto Cortázar y M. Esperón

ORTOGRAFÍA CON MÚSICA 𝄞

Ejercicio 107

Aplica lo que acabas de aprender.   Coloca la puntuación correcta.

Anota en la línea las palabras que funcionan como vocativo y di cuantas veces aparecen en la canción.

_____ ___ veces y _____ ___ veces.

LA FLOR DE LA CANELA
(Compositora: Chabuca Granda)

Déjame que te cuente limeña
déjame que te diga la gloria
del ensueño que evoca la memoria
del viejo puente del río y la alameda.

Déjame que te cuente limeña
ahora que aún perdura el recuerdo
ahora que aún se mece en un sueño
del viejo puente del río y la alameda.

Jazmines en el pelo y rosas en la cara
airosa caminaba la flor de la canela
derramaba lisura y a su paso dejaba
aromas de mixtura que en el pelo llevaba.

Del puente a la alameda
menudo pie la lleva
por la vereda que se estremece
al ritmo de su cadera.
[...]
Déjame que te cuente limeña ay
déjame que te diga morena mis sentimientos
a ver si así despierta del sueño
del sueño que entretiene morena
tus pensamientos.

Aspiras de la lisura que da la flor de canela
adornada con jazmines matizando su hermosura
alfombras de nuevo el puente y engalanas la alameda
que el río acompasará tu paso por la vereda.
Y recuerda que...
jazmines en el pelo y rosas en la cara [se repite]

Ejercicio 108

Disfruta de estos proverbios chinos. Corrige. Coloca los signos de puntuación que hagan falta y elimina los que estén mal usados.

1. Hay tres cosas que pueden cambiar la fortuna del hombre la mujer el vino y el estudio.
2. El anciano, por astucia o por amor propio simula que no le importan las cosas que más desea.
3. Los únicos dueños de su destino, son aquellos que nada esperan.

Ejercicio 109

Puntúa correctamente. Usa dos puntos, comillas, coma, punto y coma. Descifra la intención del texto: se trata de un caso de elipsis de verbo.

1. Una sola ley rige en general para la vida la juventud es un disparate la edad adulta una lucha la vejez un arrepentimiento.

Benjamin Disraeli

2. Me senté a pensar un día, casi desesperado sobre mi hombro sentí el peso de una mano y una voz que me reconfortaba y me decía Vamos, alégrate, las cosas podrían ser peores". Me puse de buen humor y, tal cual, las cosas se pusieron peores.

James Hagerty

Ejercicio 110

Valiéndote exclusivamente del uso correcto del punto y coma y del punto y seguido, arma un párrafo lógico y ameno en el que sólo una vez aparezca "Arthur Schopenhauer". No tienes que dejar los enunciados en el orden en que se te presentan. Acomódalos a tu gusto. Asimismo, es posible añadir una vez "el cual" para mejorar la redacción: hacerla más sintética.

1. El tratado de Arthur Schopenhauer ofrece 50 reglas.
2. Sin embargo, Arthur Schopenhauer escribió un tratado sobre eudemonología o el arte de ser feliz.
3. Arthur Schopenhauer es un filósofo alemán célebre por su pesimismo.
4. Arthur Schopenhauer afirma que lo que produce nuestra felicidad o desgracia no son las cosas en sí mismas, sino lo que significan para nosotros en nuestra muy personal manera de comprenderlas.

Ejercicio 111

Aprende que una idea puede ir prácticamente sin comas y estar bien escrita. Este texto es correcto. Sólo es necesario que coloques 2 juegos de paréntesis.

> Se podría decir que buena parte de la sabiduría de la vida se basa en la justa proporción entre la atención que prestamos en parte al presente y en parte al futuro para que la una no pueda estropear a la otra. Muchos viven demasiado en el presente (los imprudentes), otros demasiado en el futuro (los miedosos y preocupados); raras veces alguien mantendrá la medida justa.
>
> Arthur Schopenhauer

Ejercicio 112

Falta exclusivamente una coma. Colócala.

El medio más seguro para no volverse infeliz es no desear ser muy feliz, es decir, poner las exigencias de placer, posesiones, rango, honores, etc. a un nivel muy moderado. Porque precisamente la aspiración a la felicidad y la lucha por ella atraen los grandes infortunios.   Arthur Schopenhauer

---

Ejercicio 113

Lee la siguiente sentencia. Piensa en cuatro formas correctas de relacionar las dos ideas que la constituyen. Explica el efecto peculiar que se imprime con cada una, dependiendo del <u>signo de puntuación elegido, el cual debe ir después de la palabra "fácil"</u> en las cuatro versiones. (Sólo hay que poner un signo cada vez.)

1. La felicidad no es cosa fácil es difícil encontrarla dentro de nosotros mismos e imposible encontrarla en otra parte.

Chamfort

_____

_____

_____

2. La felicidad no es cosa fácil es difícil encontrarla dentro de nosotros mismos e imposible encontrarla en otra parte.

Chamfort

_____

_____

_____

3. La felicidad no es cosa fácil es difícil encontrarla dentro de nosotros mismos e imposible encontrarla en otra parte.

Chamfort

_____

_____

_____

4. La felicidad no es cosa fácil es dificil encontrarla dentro de nosotros mismos e imposible encontrarla en otra parte.

Chamfort

Ejercicio 114

Escribe tres párrafos acerca del maquillaje en el siglo XXI. Deberás refererirte por lo menos a su función escénica: actores y balarines; a su aspecto ritual y simbólico (*darks*, *punks*, etc.,) y a su empleo cosmético y erótico (mujeres y travestis).

Estructura tus ideas lógicamente a través de la puntuación. Organiza las series; aglutina las ideas comunes; jerarquiza tus argumentos. Busca una frase interesante y atractiva para el comienzo. Termina con una idea original que, además, sintetice el sentido del texto.

Ejercicio 115

Corrige las comas en el siguiente texto. (Hay 4 errores.)

La construcción de la Torre de Pisa comenzó en 1174. El grave error consistió en cavar unos cimientos de sólo cuatro metros de profundidad. La torre se deslizó cuando iba a la mitad; desde entonces quedó inclinada. Los arquitectos Bonanno de Pisa y Guillermo Tedesco abandonaron el proyecto, el cual fue concluido casi dos siglos después, en 1350.

Ejercicio 116

Lee con atención. En dos ocasiones hay "coma" antes de la letra "y". Piensa si son correctas o incorrectas. Explica brevemente por qué.

En 1463, en el Pont de Notre Dame de París, surgió la costumbre de numerar las casas, y fue muchos años después, en Estados Unidos, cuando se decidió marcar con números pares las de una acera y con impares las de enfrente. Al parecer, las primeras ciudades donde esto ocurrió fueron Nueva York, Chicago, Washington, y St. Louis Missouri.

Ejercicio 117

Corrige algunas comas en el siguiente texto. *Piensa en las ideas incidentales.* Subráyalas. Hay una que bien puede escribirse entre guiones largos, y así quedaría mejor; pero que no estará equivocada si la independizas por medio de dos comas.

Elimina un error muy serio: hay un sujeto separado de su verbo principal mediante una coma inadecuada.

Sin duda, hay comas de estilo que podrías alterar, (por ejemplo, en el primer enunciado: podrías poner una , después de 1839,). De las dos maneras es correcto. No tiene caso cambiar lo que no es error, porque simplemente es otra forma de escribir. *Tu trabajo consiste exclusivamente en eliminar errores.*

En 1839, se produjo una de las casualidades que han hecho avanzar a la ciencia. En un descuido, el químico Charles Goodyear, que intentaba eliminar la pegajosidad del caucho, dejó caer unos trozos de este material mezclado con azufre sobre una estufa encendida. Cuando Goodyear, se dio cuenta del accidente, estuvo a punto de retirar el caucho; pero obervó, que no se fundía y que simplemente se carbonizaba como si fuera cuero. Este célebre químico estadounidense, incapaz de imaginar, que años más tarde el proceso de fusión, que él estaba inventando, sería denominado vulcanización, lanzó a la intemperie el trozo de caucho carbonizado para que se enfriara y se olvidó de él. Al día siguiente, advirtió asombrado que aquello, se había transformado en un material que ya no era pegajoso, y al mismo tiempo, seguía siendo flexible y elástico. No había perdido sus propiedades originales y ahora, este producto, que hasta entonces sólo se utilizaba como goma de borrar, podía ser estirado hasta doce veces su tamaño, sin deformarse definitivamente ni romperse. Las posibilidades industriales del caucho vulcanizado, lo hacen irremplazable en numerosas aplicaciones: neumáticos, amortiguadores de vibración, suspensiones, y telas impermeables.

RESPUESTAS A LOS EJERCICIOS

Ejercicio 1

1. (V)
2. (V)
3. (V)
4. (V)
5. (V)
6. (V)
7. (V)

Ejercicio 2

1. prosódico
2. prosódico
3. ortográfico
4. ortográfico
5. prosódico
6. prosódico
7. ortográfico
8. prosódico
9. prosódico
10. prosódico

Ejercicio 3

1. man-tel
2. man-go
3. pe-rió-di-co
4. te-le-vi-sión
5. ra-dio
6. e-di-to-rial
7. san-dí-a
8. di-rec-tor
9. tin-ta
10. pa-pel

130   RESPUESTAS A LOS EJERCICIOS

Ejercicio 4

> ### Salvarse por los pelos.
> No solamente en la época actual las personas se <u>disgustan</u> cuando les <u>ordenan</u> usar el pelo corto. En el año 1809 se dictó un <u>mandato</u> que obligaba a los marineros a cortárselo. Abundaron las <u>protestas</u>. Uno de los artilleros <u>escribió</u> una carta al rey José I Bonaparte, para explicarle que llevar el <u>pelo</u> largo era muy útil, <u>pues</u> en su mayoría los marineros no sabían nadar y si alguno caía al agua, lo podían jalar de la melena. La carta fue leída y la ley derogada. Y así los marineros quedaron autorizados a *salvarse por los pelos.*

> ### Salvarse por los pelos.
> No solamente en la época actual las personas se <u>enojan</u> cuando les <u>mandan</u> usar el pelo corto. En 1809 se dictó una <u>orden</u> que obligaba a los marineros a cortárselo. Abundaron las <u>quejas</u>. Uno de los artilleros <u>envió</u> una carta al rey José I Bonaparte, para explicarle que llevar el <u>cabello</u> largo era muy útil, <u>porque</u> en su mayoría los marineros no sabían nadar y si alguno caía al agua, lo podían jalar de la melena. La carta fue leída y la ley derogada. Y así los marineros quedaron autorizados a *salvarse por los pelos.*

Ejercicio 5

1. dis-gus-tan	1. e-no-jan
2. or-de-nan	2. man-dan
3. man-da-to	3. or-den
4. pro-tes-tas	4. que-jas
5. es-cri-bió	5. en-vió
6. pe-lo	6. ca-be-llo
7. pues	7. por-que

Ejercicio 6

1. (C)	Pa-o-la	
2. (I)	Lu-is	Luis
3. (C)	Lu-cí-a	
4. (I)	edi-to-rial	e-di-to-rial
5. (I)	edit-orial	e-di-to-rial
6. (C)	e-di-to-ri-al	
7. (I)	leo-par-do	le-o-par-do
8. (C)	Ra-úl	
9. (I)	Raúl	Ra-úl
10. (C)	go-lon-dri-na	go-lon-dri-na
11. (I)	gol-on-drina	go-lon-dri-na
12. (C)	Pa-rís	
13. (I)	Pa-rí-s	Pa-rís
14. (C)	a-ve	
15. (I)	ave	a-ve
16. (I)	len-gu-a	len-gua
17. (C)	len-gua	
18. (I)	va-ca-ci-on-es	va-ca-cio-nes
19. (I)	va-ca-cion-es	va-ca-cio-nes
20. (C)	va-ca-cio-nes	

Ejercicio 7

ma-ri-do
que
pier-dan

Ejercicio 8

ver-dad	co-lor	a-las	o-la	ci-ne
te-a-tro	bai-les	fies-ta	fe-o	fe-a
gua-po	gua-pa	lin-da	lo-co	lo-ca
se-mi-lla	ca-ra-col	pez	ma-res	pan
A-na	Pe-dro	Lau-ra	Lui-sa	Te-re-sa
So-nia	Pi-lar	Ro-dol-fo	Luis	Ra-fa-el

Ejercicio 9

1. voy	voy	6. cal	cal
2. esa	e-sa	7. ama	a-ma
3. con	con	8. dos	dos
4. ley	ley	9. era	e-ra
5. sin	sin	10. son	son

Ejercicio 10

verde	color	alas	ola	cine
bailes	fiesta	feo	fea	bolsa
guapo	guapa	linda	loco	loca
semilla	caracol	fecha	mares	pan
Ana	Pedro	Laura	Luisa	Teresa
Sonia	Pilar	Rodolfo	Luis	Rafael

Ejercicio 11

nuez	vez	tez	juez	es	tres

Ejercicio 12

Son fuertes   a   e   o

Son débiles   i   u

Ejercicio 13

1. a)
2. c)

Ejercicio 14

1. ansiedad	an-sie-dad	5. cuerpo	cuer-po
2. flauta	flau-ta	6. Guanajuato	Gua-na-jua-to
3. evacuar	e-va-cuar	7. Venezuela	Ve-ne-zue-la
4. cuaderno	cua-der-no	8. Guadalajara	Gua-da-la-ja-ra

Ejercicio 15

1. aeromoza
2. farmacia
3. libélula
4. tango
5. tienen

6. tuvieron
7. baile
8. salsa
9. mambo
10. juez

11. jaula
12. hacienda
13. reina
14. suelo
15. teatro

Ejercicio 16

1. aeromoza
2. farmacia (ia)
3. libélula
4. tango
5. tienen (ie)

6. tuvieron (ie)
7. baile (ai)
8. salsa
9. mambo
10. juez (ue)

11. jaula (au)
12. hacienda (ie)
13. reina (ei)
14. suelo (ue)
15. teatro

Ejercicio 17

1. oi go
2. cae
3. c ua te
4. silenc io

5. fantasma
6. computadora
7. v io lín
8. aerop ue rto

9. Isaías
10. Lil ia
11. enfermería
12. enfermo

Ejercicio 18

(C) 1. consultorio — (Se pronuncia como diptongo: *juntas* la i y la o.)

(C) 2. paletería — (Se pronuncia como hiato: *separadas* la í de la a.)

(C) 3. historia — (Se pronuncia como diptongo: *juntas* la i y la a.)

(C) 4. anatomía — (Se pronuncia como hiato: *separadas* la í de la a.)

(C) 5. laboratorio — (Se pronuncia como diptongo: *juntas* la i y la o.)

(C) 6. memoria — (Se pronuncia como diptongo: *juntas* la i y la a.)

ORTOGRAFÍA CON MÚSICA 𝄞

Ejercicio 19

serranía, seguía, oía, decía, quería, seguiría, compraría

Ejercicio 20

1.(V)   2.(V)   3.(V)   4.(V)   5.(V)

Ejercicio 21

1. __í - a__ .
2. __ue__ .
3. __trar__ .
4. __ré__ .

Ejercicio 22

1. Es la ruptura de un diptongo. Se logra colocando una tilde sobre la vocal débil.

(2) acento prosódico

2. Coincide con la zona más sonora de cada palabra. Sólo se pronuncia, no se escribe.

(5) sílaba

3. Conjunto de dos vocales que se pronuncian en una sola sílaba. Han de ser dos débiles o una fuerte y una débil.

(4) acento ortográfico

4. Tilde o rayita oblicua que, en español, se escribe sobre las vocales, atendiendo a las reglas de ortografía.

(1) hiato

5. Es la vocal o conjunto de letras que se pronuncian en una sola emisión de voz. Una consonante no podría formarla.

(3) ditpongo

Ejercicio 23

__e)__

Ejercicio 24

1. (F)
2. (V)

Ejercicio 25

___manía___

Ejercicio 26

1. Hay <u>seis</u> candidatos a la <u>alcaldía</u> de los Ángeles.

2. Las <u>franquicias</u> no sólo han invadido el <u>negocio</u> de la <u>tinto-</u><u>rería</u> en México, ahora penetran en el de la <u>panadería</u> sin que nadie se les enfrente.

3. La <u>economía</u> de una nación desarrollada no puede dictar los modelos y ritmos de desarrollo de todos los <u>países</u>, declaró un representante de la <u>Secretaría</u> de Hacienda y Crédito Público.

4. <u>Tía</u> Rosa es una marca de pan. Lástima que se llame con falta de <u>ortografía</u>.

ORTOGRAFÍA CON MÚSICA 𝄞

Ejercicio 27

___días___   ___frías___

Ejercicio 28

1. Farmacia	6. librería	11. ferretería
2. galería	7. CAFETERÍA	12. mueblería
3. Tintorería	8. veterinaria	13. PAPELERÍA
4. Pollería	9. Iglesia	14. dulcería
5. CARNICERÍA	10. paquetería	15. TABAQUERÍA

Ejercicio 29

1. <u>D, D</u>	Austria	<u>Au, ia</u>	Aus-tria
2. <u>D</u>	Venezuela	<u>ue</u>	Ve-ne-zue-la
3. <u>D, H</u>	Etiopía	<u>io, í-a</u>	E-tio-pí-a

4.	N	Gran Bretaña	——	Gran Bre-ta-ña
5.	D	Polonia	ia	Po-lo-nia
6.	D	Colombia	ia	Co-lom-bia
7.	D	Vietnam	ie	Viet-nam
8.	N	Bélgica	——	Bél-gi-ca
9.	H	Turquía	í-a	Tur-quí-a
10.	N	Senegal	——	Se-ne-gal

Ejercicio 30

1. oido   o-í-do
2. oigo   oi-go
4. odio   o-dio
3. via   ví-a

Ejercicio 31

1. (C) *oigo* se divide en 2 sílabas *oi-go*
2. (C) *oído* se divide en 3 sílabas *o-í-do*
3. (C) *vía* se divide en 2 sílabas *ví-a*
4. (C) *vial* no se divide: es monosílaba
5. (C) *odio* se divide en 2 sílabas *o-dio*

Ejercicio 32

1. (C) nuez   ( ) nuéz   3. (C) fin   ( ) fín
2. (C) fe   ( ) fé   4. (C) fue   ( ) fué

Ejercicio 33

yo dos doy fin a da no soy rey ley la en les los un
fe su ver ya dar vez ve hoy hay me lo y la ay hay
son pie cal pie col sal sin tan pon pus luz tus Pepe
mis Luis Juan juez nuez miel tren den bien buen flor
mar ten con ley Chuy dual huy mil seis chin tal por
cual nos chal vio don di rey o e ti fue fui da di sol
con en tras guau cruel piña bien Ana ti tu res crin

Monosílabas con diptongo: doy, soy, rey, ley, hoy, hay, ay, hay, pie, pie, Luis, Juan, juez, nuez, miel, bien, buen, ley, Chuy, dual, huy, seis, cual, vio, rey, fue, fui, cruel, bien

Nota: que guau es triptongo <u>uau</u>. Ana no es monosílaba (A-na); tampoco Pepe ni piña. Las demás son monosílabas sin diptongo.

Ejercicio 34

<u>piel</u>	<u>diez</u>	<u>bien</u>	nunca	tren
sol	<u>miel</u>	<u>cien</u>	<u>nuez</u>	

Ejercicio 35

Son monosílabas: hay, rey, soy, doy, ley (El sonido **i** se escribe **y** al final de una palabra.)

ORTOGRAFÍA CON MÚSICA 𝄞

Ejercicio 36

1. ma-guey, es-toy (bisílabas); ley, y (monosílabas)

2. mío, veían, sabía, podía

Ejercicio 37

tres, pies, al, ser, muy, ora, que, hay, quien, con, su, cual, me, la, y, al, son, que, me, Dios, da, da, a, la, ley, del

Ejercicio 38

1. b<u>uey</u>   6. Urug<u>uay</u>
2. ley   7. C<u>ua</u>utla
3. ahuehuete   8. venisteis
4. aguacate   9. bilingüe
5. Parag<u>uay</u>   10. h<u>uau</u>zontle

Ejercicio 39

1. (V)   2. (F)   3. (V)   4. (V)   5. (V)

Ejercicio 40

Es un ejercicio de apreciación. No tiene respuesta.

Ejercicio 41

1. b)
2. c)
3. a)

Ejercicio 42

1. (M) cleptomanía
2. (M) erotomanía
3. (M) nosomanía
4. (M) dipsomanía
5. (M) narcomanía
6. (M) fagomanía
7. (M) megalomanía

Ejercicio 43

1. Tendencia patológica al hurto.	(6) Fagomanía
2. Delirio de grandeza.	(5) Erotomanía
3. Tendencia a sentirse enfermo. También se le conoce como hipocondría (con diptongo).	(3) Nosomanía
4. Impulso irresistible y morboso por las bebidas alcohólicas.	(2) Megalomanía
5. Enajenación mental caracterizada por un delirio de "amor".	(1) Cleptomanía
6. Inclinación exagerada, morbosa, por la comida.	(4) Dipsomanía

Ejercicio 44

1. ( ) aristocracia   (X) aristocracía
2. (X) monarquia   ( ) monarquía
3. ( ) democracia   (X) democracía
4. ( ) plutocracia   (X) plutocracía

Ejercicio 45

1. a)

Ejercicio 46

1. (V)
2. (V)
3. (V)
4. (V)
5. (V)
6. (V)

Ejercicio 47

1. cinematografia   6. GEOGRAFÍA
2. bibliografía   7. ORTOGRAFÍA
3. CINEMATOGRAFÍA   8. ortografia
4. geografia   9. Pornografia
5. GEOGRAFÍA   10. PORNOGRAFÍA

ORTOGRAFÍA CON MÚSICA 𝄞

Ejercicio 48

se-as   siem-pre

Ejercicio 49

1. (F)
2. (V)
3. (V)
4. (V)
5. (V)

Ejercicio 50

1. (F)   2. (V)   3. (V)   4. (V)   5. (V)

ORTOGRAFÍA CON MÚSICA 𝄞

Ejercicio 51

HASTA HOY	TE QUIERO ASÍ
TODO ME GUSTA DE TI	QUE SEAS FELIZ
VOY A APAGAR LA LUZ	SABOR A MÍ
HAY QUE OLVIDAR	TUYA SOY
SOY LO PROHIBIDO	EL REY

Ejercicio 52

1. teléjono
2. guárdame
3. Guárdate

Ejercicio 53

  miércoles   y   sábado

Ejercicio 54

1. (V)   2. (F)   3. (V)   4. (F)   5. (F)   6. (V)

Ejercicio 55

1. Acostándome con Luz, aunque me apaguen la vela.
2. Casamiento de pobres, fábrica de limosneros.
3. Cansado de velar cadáveres y no muertos con cabeza de cerillo como tú.

Ejercicio 56

En noche lóbrega, galán incógnito, las calles céntricas atravesó y bajo clásica ventana gótica templó su cítara y así cantó: Virgen purísima, de faz angélica, que entre las sábanas durmiendo estás, despierta y óyeme que entre mis cánticos suspiros prófugos escucharás...

1. lóbrega   7. purísima
2. incógnito   8. angélica

3. céntricas
4. clásica
5. gótica
6. cítara

9. sábanas
10. óyeme
11. cánticos
12. prófugos

ORTOGRAFÍA CON MÚSICA

Ejercicio 57

2. México

PÉNJAMO
(Compositor: Rubén Méndez)

Ya vamos llegando a Pénjamo
ya brillan allá sus cúpulas.

De Corralejo parece un espejo
mi lindo Pénjamo,
sus torres cuatas
son dos alcayatas
prendidas al sol.

Su gran variedad de pájaros
que silban de puro júbilo,
y ese paseo de Churipitzeo
que tiene Pénjamo,
es un suspiro
que allá en Guanguitiro
se vuelve canción.

Que yo parecía de Pénjamo
me dijo una de Cuerámero,
voy, voy, pos ora
pos mire, señora,
que soy de Pénjamo,
lo habrá notado por lo atravesado
que somos de allá.

Al cabo por todo México
hay muchos que son de Pénjamo,
si una muchacha te mira y se agacha
es que es de Pénjamo,
o si te mira y luego suspira
también es de allá.
[...]

ORTOGRAFÍA CON MÚSICA 𝄞

Ejercicio 58

SEÑORA DE LAS CUATRO DÉCADAS
(Compositor: Ricardo Arjona)

Señora de las cuatro décadas
y pisadas de fuego al andar
su figura ya no es la de los quince
pero el tiempo no sabe marchitar
ese toque sensual
y esa fuerza volcánica de su mirar.

Señora de las cuatro décadas,
permítame descubrir
qué hay detrás de esos hilos de plata
y esa grasa abdominal
que los aeróbicos no saben quitar.

[...]

Porque nótelo, usted, al hacer el amor
siente las mismas cosquillas
que sintió hace mucho más de veinte
nótelo así de repente
es usted amalgama perfecta
entre experiencia y juventud.

Señora de las cuatro décadas,
usted no necesita enseñar
su figura detrás de un escote;
su talento está en manejar
con más cuidado el arte de amar.

Señora de las cuatro décadas,
no insista en regresar a los treinta
con sus cuarenta y tantos encima,
deja huellas por donde camina
que la hacen dueña de cualquier lugar.

[...]

Cómo sueño con usted, señora, imagínese
que no hablo de otra cosa que no sea de usted
qué es lo que tengo que hacer, señora,
para ver si se enamora de este diez años menor.

[...]

Ejercicio 59

1. (V)
2. (V)
3. (V)

Ejercicio 60

Son correctos los números 1, 2, 4, 5, 6, 8, 9 y 10
Son **in**correctos los números 3, 7 (o<u>ri</u>gen es grave y re<u>su</u>men es grave también.)

Ejercicio 61

Incorrecto	Correcto
1. volúmen	volumen
ecologico	ecológico
naturaléza	naturaleza
2. origenes	orígenes
3. exámen	examen
4. Examenes	Exámenes

Ejercicio 62

1. _E_ hipócrita
2. _E_ cálculo
3. _G_ origen
4. _E_ orígenes
5. _G_ volumen
6. _E_ volúmenes
7. _G_ examen
8. _E_ exámenes
9. _G_ germen
10. _E_ gérmenes

Ejercicio 63

1. _c) dos_   Debe ser <u>ahorita</u>
2. _c) tres_   Debe ser <u>ocasión</u>
3. _c) una_   Debe ser <u>reata</u>
4. _b) cuatro_   Debe ser <u>inhibición</u>

Ejercicio 64

1. Lul**ú**	Lu-lú	Lulú
2. buzó**n**	bu-zón	buzón

3. compás	com-pás	compás
4. cantarás	can-ta-rás	cantarás
5. inauguración	i-nau-gu-ra-ción	inauguración
6. sentí	sen-tí	sentí
7. atención	a-ten-ción	atención
8. soñé	so-ñé	soñé
9. volverá	vol-ve-rá	volverá
10. pantalón	pan-ta-lón	pantalón

ORTOGRAFÍA CON MÚSICA 𝄞

Ejercicio 65

2. Estréchame

Ejercicio 66

1. (V) La palabra **gobernabilidad** se clasifica como **aguda** porque su sílaba más sonora es la última.

(C) No lleva tilde porque no termina en **n**, ni en **s**, ni en **a**, ni en **e**, ni en **i**, ni en **o**, ni en **u**.

2. (V) La palabra **fiscal** se clasifica como **aguda** porque su sílaba más sonora es la última.

(C) No lleva tilde porque no termina en **n**, ni en **s**, ni en **a**, ni en **e**, ni en **i**, ni en **o**, ni en **u**.

3. (V) La palabra **cobrará** se clasifica como **aguda** porque su sílaba más sonora es la última.

(C) Sí lleva tilde porque termina en **a**

4. (V) La palabra **volvió** se clasifica como **aguda** porque su sílaba más sonora es la última.

(C) Sí lleva tilde porque termina en **o**

ORTOGRAFÍA CON MÚSICA 𝄞

Ejercicio 67

CONTIGO APREND Í
(Compositor: Armando Manzanero)

Contigo aprend í
que existen nuevas
y mejores emociones,
contigo aprend í

[...]

Aprend í
que la semana
tiene más de siete d í as
a hacer mayores
mis contadas alegr í as
y a ser dichoso
yo contigo lo aprend í.

Contigo aprend í
a ver la luz
del otro lado de la luna,

[...]

Aprend í
que puede un beso
ser más dulce y más profundo,
que puedo irme
mañana mismo de este mundo
las cosas buenas
ya contigo las viv í y también aprend í
que yo nac í
el día en que te conoc í.

La palabra aprendí es aguda y termina en vocal. Tendrá tilde
todas las veces incluida la del título de la canción en mayúsculas.
(Aprendí: ocho tildes; días y alegrías tienen hiato; viví, nací y
conocí también deben llevar tilde.)

Ejercicio 68

1. b)
2. b)
3. c)
4. d)

Ejercicio 69

Plural
1. (C) exhibiciones
2. (C) canciones
3. (C) inauguraciones
4. (C) sensaciones
5. (C) generaciones
6. (C) colecciones
7. (C) atracciones
8. (C) vocaciones
9. (C) listones
10. (C) sillones

Ejercicio 70

1. (V)   2. (V)   3. (V)   4. (V)   5. (V)   6. (V)

ORTOGRAFÍA CON MÚSICA 𝄞

Ejercicio 71

CONFIDENCIAS DE AMOR
(Compositor: Genaro Lombida)

Yo ya te iba a querer
pero me arrepentí
la luna me miró
y yo la comprendí
me dijo que tu amor
no me iba a hacer feliz
que me ibas a olvidar
porque tú eras así.
Ya los claros fulgores de luna
matizando estaban tu pálida faz
y al mirarlos sentí que la luna
musitando estaba un reproche tenaz.
[...]

Palabras agudas sin tilde:
AMOR, Compositor, querer, amor, feliz, olvidar, tenaz

Ejercicio 72

1. exhibición	aguda	exhibiciones	grave
2. canción	aguda	canciones	grave
3. inauguración	aguda	inauguraciones	grave
4. sensación	aguda	sensaciones	grave
5. generación	aguda	generaciones	grave
6. colección	aguda	colecciones	grave
7. atracción	aguda	atracciones	grave
8. vocación	aguda	vocaciones	grave
9. listón	aguda	listones	grave
10. sillón	aguda	sillones	grave

Ejercicio 73

1. <u>Aún</u> no hay tiempos compartidos para vacacionar en la luna.

2. ¿Cuándo piensas conocer el mar? <u>Aun</u> yo, que nunca viajo, conozco Acapulco.

3. Sé que <u>aún</u> te interesa mi amistad, ¿por qué eres tan rencoroso y tan susceptible? ¡Ya bájale!

ORTOGRAFÍA CON MÚSICA 𝄞

Ejercicio 74

LA NAVE DEL OLVIDO
(Compositor: Roberto Cantoral)

Espera, ~~aún~~ la nave del olvido no ha partido,   <u>aún</u> (todavía)
no condenemos al naufragio lo vivido,
por nuestro ayer, por nuestro amor
yo ~~te~~ lo pido.   <u>te</u>

Espera, <u>aún</u> me quedan en mis manos
primaveras,
para colmarte con caricias todas nuevas
que morirían en mis manos ~~si~~ te fueras.   <u>si</u>
Espera un poco, un poquito ~~más~~,   <u>más</u>
para llevarte ~~mí~~ felicidad.   <u>mi</u>
Espera un poco, un poquito ~~más~~,   <u>más</u>
me moriría <u>si</u> <u>te</u> vas.

Espera, a~~ún~~ me quedan alegrías para darte,   _aún_
tengo mil noches _de_ amor que regalarte,
te doy _mi_ vida a cambio ~~de~~ quedarte. _de_ (preposición)

Espera, no entendería mi mañana ~~si~~ te fueras _si_ (condicional)
y hasta te acepto que ~~tu~~ amor me lo fingieras, _tu_ (posesivo)
~~te~~ adoraría aunque ~~tu~~ no me quisieras. te   tú (pronombre
Espera un poco, un poquito _más_...   personal)
[...]

ORTOGRAFÍA CON MÚSICA 𝄞

Ejercicio 75

PIENSA EN _MÍ_
(Compositor: Agustín Lara)

Si tienes un hondo penar
piensa en _mí_
si tienes ganas de llorar
piensa en _mí_ .
Ya ves que venero _tu_ imagen divina
_tu_ párvula boca
[...]
Piensa en _mí_
cuando beses
cuando llores
también piensa en _mí_
Cuando quieras quitarme la vida
no la quiero, para nada
para nada me sirve sin _ti_

Piensa en _mí_
cuando beses... (etc.)

ORTOGRAFÍA CON MÚSICA 𝄞

Ejercicio 76

Dice:	Debe decir:
mí bien	mi bien
tí	ti
tú dulce	tu dulce
la gloria eres tu	la gloria eres tú

ORTOGRAFÍA CON MÚSICA 𝄞

Ejercicio 77

Ti únicamente es correcta sin tilde. Siempre es <u>ti</u> con puntito.

Ejercicio 78

1. De los parientes y el sol, mientras <u>más</u> lejos mejor.
2. <u>Más</u> pronto cae un hablador que un cojo.
3. Cuesta <u>más</u> caro el caldo que las albóndigas.
4. Cualquiera toca el cilindro <u>mas</u> no cualquiera lo carga.
5. Cuando está abierto el cajón, el <u>más</u> honrado es ladrón.
6. Duele <u>más</u> el cuero que la camisa.
7. La reata se revienta por lo <u>más</u> delgado.
8. <u>Más</u> vale Tianguistengo que Tianguistuve.
9. Toma vino <u>mas</u> no dejes que el vino te tome a ti.

Ejercicio 79

1. No <u>sé</u> tú, pero yo no dejo de pensar...
2. Yo <u>sé</u> que nunca besaré tu boca, tu boca de púrpura encendida...
3. <u>Sé</u> que aún me queda una oportunidad...
4. Yo <u>sé</u> que inútilmente te venero...
5. <u>Se</u> me acabó la fuerza de la mano izquierda...
6. <u>Se</u> te olvida, que hasta puedo hacerte mal si me decido...

Ejercicio 80

1. Yo <u>sé</u> que inútilmente te venero... <u>saber</u>
2. Yo <u>sé</u> que tú comprendes la pena que hay en mí... <u>saber</u>
3. Yo <u>sé</u> bien que estoy afuera, pero el día en que yo me muera, <u>sé</u> que tendrás que llorar... <u>saber</u> <u>saber</u>
4. La juventud <u>se</u> va y <u>se</u> va de prisa como el viento...
5. No <u>sé</u> si vuelva a verte después, no <u>sé</u> que de mi vida será.
    <u>saber</u> <u>saber</u>

6. Adiós, mi chaparrita, no llores por tu Pancho, que si <u>se</u> va del rancho, muy pronto volverá. _____

7. Si porque vengo de lejos me niegas la luz del día, <u>se</u> me hace que a tu esperanza le pasó lo que a la mía. _____

8. Yo sentí que mi vida <u>se</u> perdía en un abismo profundo y negro como mi suerte. Quise hallar el olvido al estilo Jalisco..._____

ORTOGRAFÍA CON MÚSICA 𝄞

Ejercicio 81

LA MENTIRA
(Compositor: Álvaro Carrillo)

<u>Se</u> te olvida
que me quieres a pesar de lo que dices,
[...]

<u>Se</u> te olvida que hasta puedo hacerte mal
si me decido,
pues tu amor lo tengo muy comprometido,
pero a fuerza no será.

Y hoy resulta
que no soy de la estatura de tu vida,
y al dejarme casi, casi, <u>se</u> te olvida
que hay un pacto entre los dos.
[...]

Ejercicio 82

1. maíz	5. matriz	9. nariz
2. infeliz	6. feliz	10. raíz
3. Ortiz	7. emperatriz	11. automotriz
4. Beatriz	8. directriz	12. cicatriz

ORTOGRAFÍA CON MÚSICA 𝄞

Ejercicio 83

POR FIN
(Compositor: Armando Navarro)

Por fin
ahora soy ~~felíz~~   feliz
por ~~fín~~ he rea~~lizádo~~   fin   realizado
el amor soñado en mi co~~rázon~~.   corazón

~~Serás~~   Serás
como una ben~~dicion~~   bendición
calmaste tu ~~mí~~ pena   mi
que era una condena
[...].

Ahora se acaba ~~mí~~ sufrir   mi
~~mí~~ alma ha vuelto a ser feliz.   mi

Por fin
ahora soy feliz
por fin he realizado
el a~~mór~~ soñado en mi corazón.   amor

Ejercicio 84

Coloca las tildes necesarias.

1. dame	7. hazme
2. dámelos	8. házmelo
3. tráeme	9. corrígelo
4. entrégale	10. corrígete
5. entrega	11. corrige
6. haz	12. corrígelas

ORTOGRAFÍA CON MÚSICA 𝄞

Ejercicio 85

La palabra grave a la que le sobra tilde es: júro (Debe ser juro)
La palabra esdrújula a la que le falta tilde es: Besame (Debe ser Bésame)

Ejercicio 86

1. (C) júrame   ( ) jurame
2. ( ) júra   (C) jura
3. (C) mírame   ( ) mirame
4. ( ) míra   (C) mira
5. (C) quiéreme   ( ) quiereme
6. ( ) quiére   (C) quiere

Ejercicio 87

Regla:
Cuando una palabra es ___grave___, como "be-s*a*",
"mi-r*a*" o "ju-r*a*", no lleva tilde, porque termina en
___vocal___ y la sílaba más sonora es la ___penúltima___.

Sin embargo, cuando esa misma palabra: "bes*a*", "mir*a*" o
"quier*e*" aumenta de tamaño una sílaba: "b**é**-sa-me",
"m**í**-ra-te" o "j**ú**-ra-lo" sí lleva tilde porque deja de ser
palabra grave y se convierte en ___esdrújula___. Y es una
regla sin excepciones que todas las palabras _esdrújulas_
sin importar con qué letra terminen llevarán siempre tilde.

Ejercicio 88

Los errores son: _gérmen_ y _volúmen_

Ejercicio 89

Los errores son: cafes, génes, Ines, vendras, tendras, enten-
deras, dós, pakistanies, frances, cién, compáses.

SE ESCRIBEN CORRECTAMENTE ASÍ: cafés, genes, Inés, vendrás,
tendrás, entenderás, dos, pakistaníes, francés, cien y compases.

Ejercicio 90

___anis___   ___bílis___
___billétes___   ___estudiántes___

Deben escribirse así: anís (aguda); bilis (grave); billetes
(grave); estudiantes (grave).

Ejercicio 91

Las palabras que terminan en s no llevan tilde cuando son graves. Todas las demás sí: (anís-aguda; ejércitos-esdrújula; anótaselos-sobresdrújula

1. escribe ___grave___
2. escríbelo ___esdrújula___
3. escríbeselo ___sobresdrújula___
4. anótalo ___esdrújula___
5. anótamelo ___sobresdrújula___

6. anótaselo ___sobresdrújula___
7. descríbenoslo ___sobresdrújula___
8. calla ___grave___
9. recuérdaselo ___sobresdrújula___
10. cállate ___esdrújula___

Ejercicio 92

1. (C) cóm-pra-me-lo   ( ) com-pra-me-lo   ( ) com-pra-mé-lo
2. (C) ad-jún-te-se-lo   (C) ad-jun-té-se-lo   ( ) ad-jun-te-se-ló
3. ( ) ra-pi-da-men-te   ( ) ra-pi-da-mén-te   (C) rá-pi-da-men-te
4. ( ) éx-pli-ca-nos-lo   (C) ex-plí-ca-nos-lo   ( ) ex-pli-ca-nós-lo
5. ( ) tar-dia-men-te   ( ) tar-di-a-men-te   (C) tar-dí-a-men-te

Ejercicio 93

VIENE DE:

1. (C) fácilmente   ( ) facilmente   *fácil*
2. ( ) alegreménte   (C) alegremente   *alegre*
3. ( ) felízmente   (C) felizmente   *feliz*
4. (C) atentamente   ( ) atentaménte   *atento, atenta*
5. (C) igualmente   ( ) iguálmente   *igual*
6. (C) torpemente   ( ) torpeménte   *torpe*
7. (C) dificilmente   ( ) dificilmente   *difícil*

Ejercicio 94

1. ___a)___ exhibición
2. ___a)___ esencia
3. ___b)___ nuez
4. ___b)___ exuberante

Ejercicio 95

1. SECRETARIA BILINGÜE EN SÓLO 6 MESES. INSCRÍBETE YA.
2. POLLERÍA Y ROSTICERÍA "EL POLLITO CON PAPAS". LLAME, NOSOTROS VAMOS. PEDIDOS A DOMICILIO Y SERVICIO DE RESTAURANTE. ¡NIÑOS, TRAIGAN A SUS PAPÁS!
3. ANTIGÜEDADES, ARTESANÍA MEXICANA Y LITOGRAFÍAS AUTÉNTICAS. LAS MEJORES... EN EL BAZAR DE COYOACÁN.

Ejercicio 96

Es un ejercicio de apreciación. No tiene respuestas.

Ejercicio 97

Estudia la lista.

Ejercicio 98

Corrige tu texto. Revisa cuidadosamente las tildes. Relee la lista del ejercicio 97.

Ejercicio 99

1. Mi íntimo amigo es Eduardo. Yo no intimo con cualquiera. Recuerdo que cuando Elsa intimó con Pepe, él acabó traicionándola.

2. El cálculo no es mi materia preferida. Yo no calculo ni las horas que duermo. Pero mi papá sí; el otro día dijo que calculó que yo había estado dormido catorce horas. No me late.

3. No he conseguido un chofer amable y   solícito   para que traslade a los ancianos de nuestro asilo. La secretaria   solicitó   uno a la agencia de trabajadores domésticos; pero le mandaron a un patán. ¿Y si mejor   solicito   a un enfermero que sepa manejar?

Ejercicio 100

No hay respuestas.

Ejercicio 101

1. ju-gue-te
2. en-ri-que-ci-mien-to
3. ver-güen-za
4. gui-ta-rris-ta
5. pi-que-te
6. guí-a
7. en-jua-gue
8. de-sa-güe
9. des-pe-gue
10. me-ren-gui-to
11. pe-que-ño
12. an-ti-güe-da-des

Ejercicio 102

1. elección	e-lec-ción	elecciones	e-lec-cio-nes
2. lección	lec-ción	lecciones	lec-cio-nes
3. disección	di-sec-ción	disecciones	di-sec-cio-nes
4. selección	se-lec-ción	selecciones	se-lec-cio-nes
5. inyección	in-yec-ción	inyecciones	in-yec-cio-nes
6. proyección	pro-yec-ción	proyecciones	pro-yec-cio-nes
7. drogadicción	dro-ga-dic-ción	drogadicciones	dro-ga-dic-cio-nes
8. aflicción	a-flic-ción	aflicciones	a-flic-cio-nes
9. restricción	res-tric-ción	restricciones	res-tric-cio-nes
10. refacción	re-fac-ción	refacciones	re-fac-cio-nes

Coherencia y corrección.

Cuando llegamos al final de un renglón y la palabra no cabe, será necesario partirla. Existen varias reglas indispensables. Una lección de cómo hacerlo es lo que hallarás en este ejercicio. Pues en ningún caso deberás separar las letras dobles. La *rr* irá junta en "perro" y lo mismo ocurrirá con la *ll*, (¿te has fijado en que son letras mellizas?). La cc no es letra doble. Cada *c* quedará en una sílaba. Redacción las tiene, igual que putrefacción, reacción, acción y disección. Oye las sílabas, esa es la guía fundamental. La *c* y la *h* que forman la *ch* estarán en la misma sílaba. Ejemplos: chícharo, chichimeca y chía.

La vocal *u* representa un problema sencillo de evitar. La siguiente lista de palabras te dará la clave. En "quienes", "queso" y "quebrar" la *u* siempre estará en el mismo renglón de la *q* a la cual acompaña. Y esta convención afecta igualmente al uso de la *g*. Maguey, guerrilleros, guitarra y pingüino son ejemplos de palabras en las cuales mantendrás la *u* junto a la *g* (lo mismo si hay diéresis que si no).

¿Recuerdas aquello de *diptongo* y *triptongo*? Esas dos o tres vocales, según sea el caso, no han de ser apartadas sólo porque no quepan ya en la línea. Lo mismo si es un menú escrito a mano: huauzontle capeado, que si es un impreso en papel lujoso que anuncie viajes a Suiza, Londres, Perú, Brasil, Egipto, Cancún, Mérida, Tehuantepec, Veracruz, Palenque, Acapulco, Paraguay, Francia o Venezuela.

Nunca deberás dejar una vocal sola en un renglón. El país Egipto, por ejemplo, aunque tiene que separarse así: E-gip-to. No dejará su *E* abandonada. No por "aprovechar" el hueco irá la vocal con que inicia una palabra en el renglón anterior.

La *a* no quedará suelta a menos que la acompañe una *h*.

Ejemplo: ¡Por fin... la herencia! ¡Acaba de llegar la carta! ¿Llamo a la enfermera? Ponte la prótesis. ¡Vámonos! ¿Qué dices? Ah.

Es importante evitar la majadería involuntaria. Las llamadas malas palabras no deberán aparecer como consecuencia de la separación silábica. Porque resulta innecesariamente hostil ponerle a alguien la palabra "trasero" en plena cara, sólo porque no cabe completa. En suma, es deseo de la Academia que palabras como estrépito, cómputo, músculo y otras de final incómodo no provoquen un espectáculo al mostrarse sin disimulos en mitad de una redacción.

Beatriz Escalante

Versión correcta

Coherencia y corrección.

Cuando llegamos al final de un renglón y la palabra no cabe, **será** necesario partirla. Existen varias reglas indispensables. Una **lección** de cómo hacerlo es lo que hallarás en este ejercicio. Pues en ningún caso deberás separar las letras dobles. La *rr* irá junta en "**perro**" y lo mismo ocurrirá con la *ll*, (¿te has fijado en que son letras **mellizas**?). La cc no es letra doble. Cada *c* quedará en una sílaba. **Redacción** las tiene, igual que putrefacción, reacción, acción y **disección**. Oye las sílabas, esa es la guía fundamental. La *c* y la *h* que forman la *ch* estarán en la misma sílaba. Ejemplos: chícharo, **chichimeca** y chía.

La vocal *u* representa un problema sencillo de evitar. La **siguiente** lista de palabras te dará la clave. En "quienes", "queso" y "**quebrar**" la *u* siempre estará en el mismo renglón de la *q* a la cual acompaña. Y esta convención afecta igualmente al uso de la *g*. **Maguey**, guerrilleros, guitarra y pingüino son ejemplos de palabras en las cuales mantendrás la *u* junto a la *g* (lo mismo si hay diéresis que si no).

¿Recuerdas aquello de *diptongo* y *triptongo*? Esas dos o tres vocales, según sea el caso, no han de ser apartadas sólo porque no quepan ya en la línea. Lo mismo si es un menú escrito a mano: **huauzontle** capeado, que si es un impreso en papel lujoso que **anuncie** viajes a Suiza, Londres, Perú, Brasil, Egipto, Cancún, Mérida, **Tehuantepec**, Veracruz, Palenque, Acapulco, Paraguay, Francia o **Venezuela**.

Nunca deberás dejar una vocal sola en un renglón. El país **Egipto**, por ejemplo, aunque tiene que separarse así: E-gip-to. No dejará su *E* abandonada. No por "aprovechar" el hueco irá la vocal con que **inicia** una palabra en el renglón anterior.

La *a* no quedará suelta a menos que la acompañe una *h*.

Ejemplo: ¡Por fin... la herencia! ¡acaba de llegar la carta! ¿**Llamo** a la enfermera? Ponte la prótesis. ¡Vámonos! ¿Qué dices? **Ah**.

Es importante evitar la majadería involuntaria. Las llamadas malas palabras no deberán aparecer como consecuencia de la separación silábica. Porque resulta innecesariamente hostil ponerle a **alguien** la palabra "trasero" en plena cara, sólo porque no cabe completa. En suma, es deseo de la Academia que palabras como estrépito, **cómputo**, músculo y otras de final incómodo no provoquen un **espectáculo** al mostrarse sin disimulos en mitad de una redacción.

Beatriz Escalante

ORTOGRAFÍA CON MÚSICA 𝄞

Ejercicio 104

nodriza

ALFONSINA Y EL MAR
(Compositores: Ariel Ramírez y Félix Luca)

Te vas, Alfonsina, con tu soledad
qué poemas nuevos fuiste a buscar.
[...]
Bájame la lámpara un poco más,
déjame que duerma, nodriza, en paz
y si llama él, no le digas nunca que estoy
dile que me he ido.

Te vas, Alfonsina, con tu soledad
qué poemas nuevos fuiste a buscar.
[...]
Bájame la lámpara un poco más,
déjame que duerma, nodriza, en paz
y si llama él, no le digas nunca que estoy
dile que Alfonsina no vuelve,
y si llama él, no le digas nunca que estoy
dile que me he ido.

ORTOGRAFÍA CON MÚSICA 𝄞

Ejercicio 105

MARÍA CRISTINA
(Compositor: Ñico Saquito)

María Cristina me quiere gobernar
y yo le sigo, le sigo la corriente
porque no quiero que diga la gente
que María Cristina me quiere gobernar.

Que acuéstate, Manuel,... y yo me acuesto
que vamos a la playa... allá voy
que tírate en la arena... y me tiro
que quítate la ropa... y me la quito
que súbete en el puente... y me subo
que tírate en el agua... ¡en el agua!

No, no, no, María Cristina,
que no y que no, que no y que no,
porque María Cristina me quiere gobernar
si no... ¡ay!, me quiere gobernar
oye... ¡ay!, me quiere gobernar
anda... ¡ay!, me quiere gobernar.

María Cristina me quiere gobernar [se repite]

Que vamos a Corea... allá voy,
que te peguen veinte tiros... que me los peguen,
que vete pa'l infierno... allá voy,
que quítate la ropa... y me la quito,
que tírate en el río... ¡en el río!

No, no, no, María Cristina,
que no y que no [se repite]
Que búscate trabajo... y me lo busco,
que vamos pa' la casa... allá voy
que siéntate, Manuel,... y me siento,
que vamos a la ducha... allá voy,
que quítate la ropa... y me la quito,
que báñate, Manuel,... ¿quién?, ¿yo?
¿Bañarme?, no, no, no, María Cristina,
[...]

Ejercicio 106

1. ¿A qué le tiras cuando sueñas, _mexicano_?   Chava Flores
2. _Veracruz_, algún día hasta tus playas lejanas tendré que volver.

                                                              Agustín Lara
3. Adiós, _Mariquita linda_, ya me voy porque tú ya no me quieres como
   yo te quiero a ti...   Marco Jiménez
4. De la Sierra Morena, _cielito lindo_, vienen bajando un par de ojitos
   negros, _cielito lindo_, de contrabando.   Quirino Mendoza y Cortés
5. _Alma mía_, siempre sola, sin que nadie comprenda tus sufrimientos, tu
   horrible padecer...   María Greever
6. _Vida_, si tuviera cuatro vidas, cuatro vidas serían para ti.   Justo Carreras
7. ¡Ay, _Jalisco_, no te rajes!, me sale del alma gritar con calor, abrir todo
   el pecho pa' echar este grito ¡Qué lindo es Jalisco palabra de honor!

                                                  Ernesto Cortázar y M. Esperón

ORTOGRAFÍA CON MÚSICA 𝄞

Ejercicio 107

limeña 3 veces y morena 2 veces.

LA FLOR DE LA CANELA
(Compositora: Chabuca Granda)

Déjame que te cuente, limeña,
déjame que te diga la gloria
del ensueño que evoca la memoria
del viejo puente del río y la alameda.

Déjame que te cuente, limeña,
ahora que aún perdura el recuerdo
ahora que aún se mece en un sueño
del viejo puente del río y la alameda.

Jazmines en el pelo y rosas en la cara
airosa caminaba la flor de la canela
derramaba lisura y a su paso dejaba
aromas de mixtura que en el pelo llevaba.

Del puente a la alameda
menudo pie la lleva
por la vereda que se estremece
al ritmo de su cadera.
[...]

Déjame que te cuente, limeña, ay
déjame que te diga, morena, mis sentimientos
a ver si así despierta del sueño
del sueño que entretiene, morena,
tus pensamientos.

Aspiras de la lisura que da la flor de canela
adornada con jazmines matizando su hermosura
alfombras de nuevo el puente y engalanas la alameda
que el río acompasará tu paso por la vereda.

Y recuerda que...
jazmines en el pelo y rosas en la cara [se repite]

Ejercicio 108

1. Hay tres cosas que pueden cambiar la fortuna del hombre: la mujer, el vino y el estudio.
2. El anciano, por astucia o por amor propio, simula que no le importan las cosas que más desea.
3. Los únicos dueños de su destino son aquellos que nada esperan.

Ejercicio 109

1. Una sola ley rige en general para la vida: la juventud es un disparate; la edad adulta, una lucha; la vejez, un arrepentimiento. Benjamin Disraeli
2. Me senté a pensar un día, casi desesperado; sobre mi hombro sentí el peso de una mano y una voz que me reconfortaba y me decía: "Vamos, alégrate, las cosas podrían ser peores". Me puse de buen humor y, tal cual, las cosas se pusieron peores. James Hagerty

Ejercicio 110

Arthur Schopenhauer es un filósofo alemán célebre por su pesimismo. Sin embargo, escribió un tratado sobre endemonología o el arte de ser feliz, el cual ofrece 50 reglas. Afirma que lo que produce nuestra felicidad o desgracia no son las cosas en sí mismas, sino lo que significan para nosotros en nuestra muy personal manera de comprenderlas.

Ejercicio 111

> Se podría decir que buena parte de la sabiduría de la vida se basa en la justa proporción entre la atención que prestamos en parte al presente y en parte al futuro para que la una no pueda estropear a la otra. Muchos viven demasiado en el presente (los imprudentes), otros demasiado en el futuro (los miedosos y preocupados); raras veces alguien mantendrá la medida justa.
>
> Arthur Schopenhauer

Ejercicio 112

> El medio más seguro para no volverse infeliz es no desear ser muy feliz, es decir, poner las exigencias de placer, posesiones, rango, honores, etc., a un nivel muy moderado. Porque precisamente la aspiración a la felicidad y la lucha por ella atraen los grandes infortunios.
>
> Arthur Schopenhauer

Ejercicio 113

1. La felicidad no es cosa fácil: es difícil encontrarla dentro de nosotros mismos e imposible encontrarla en otra parte.

Chamfort

2. La felicidad no es cosa fácil... es difícil encontrarla dentro de nosotros mismos e imposible encontrarla en otra parte.

Chamfort

3. La felicidad no es cosa fácil. Es difícil encontrarla dentro de nosotros mismos e imposible encontrarla en otra parte.

Chamfort

4. La felicidad no es cosa fácil; es difícil encontrarla dentro de nosotros mismos e imposible encontrarla en otra parte.

Chamfort

Ejercicio 114

Texto libre.

Ejercicio 115

La construcción de la Torre de Pisa comenzó en 1174. El grave error consistió en cavar unos cimientos de sólo cuatro metros de profundidad. La torre se deslizó cuando iba a la mitad; desde entonces quedó inclinada. Los arquitectos Bonanno de Pisa y Guillermo Tedesco abandonaron el proyecto, el cual fue concluido casi dos siglos después, en 1350.

En los cuatro casos el error es el mismo: el sujeto del enunciado está separado de su verbo principal por una coma equivocada.

Si tienes dudas, estudia nuevamente el uso de las comas incidentales. En ninguna de estas oraciones hay una idea incidental: no hay razón de colocar la coma. Tampoco es vocativo.

Ejercicio 116

La primera es correcta: , y fue muchos años después... porque separa dos ideas completas; en cambio, la segunda está equivocada, porque cuando enumeramos elementos nunca irá coma (,) antes de y.

(Estudia el capítulo de la coma en caso de duda).

En 1839 se produjo una de las casualidades que han hecho avanzar a la ciencia. En un descuido, el químico Charles Goodyear,[1] que intentaba eliminar la pegajosidad del caucho, dejó caer unos trozos de este material mezclado con azufre sobre una estufa encendida. Cuando Goodyear[2] se dio cuenta del accidente estuvo a punto de retirar el caucho; pero obervó que no se fundía y que simplemente se carbonizaba como si fuera cuero. Este célebre químico estadounidense,[3] incapaz de imaginar que años más tarde el proceso de fusión que él estaba inventando sería denominado vulcanización, lanzó a la intemperie el trozo de caucho carbonizado para que se enfriara y se olvidó de él. Al día siguiente, advirtió asombrado que aquello se había transformado en un material que ya no era pegajoso y al mismo tiempo seguía siendo flexible y elástico. No había perdido sus propiedades originales y ahora este producto, que hasta entonces sólo se utilizaba como goma de borrar, podía ser estirado hasta doce veces su tamaño sin deformarse definitivamente ni romperse. Las posibilidades industriales del caucho vulcanizado[4] lo hacen irremplazable en numerosas aplicaciones: neumáticos, amortiguadores de vibración, suspensiones[5] y telas impermeables.

1. Hace falta poner **,** después de Charles Goodyear porque inicia una idea incidental. Charles Goodyear**,** que intentaba eliminar la pegajosidad del caucho**,** dejó caer...

2. Sobra la **,** el sujeto es "Goodyear" y su verbo "se dio cuenta".

3. incapaz de imaginar que años más tarde el proceso de fusión que él estaba inventando sería denominado vulcanización es una idea incidental larga y compleja que puede señalarse entre guiones largos o incluso entre ( ). Lo más adecuado, por el tipo de texto, sería entre guiones, pero no es error destacarla usando dos comas.

4. La coma es equivocada porque separa un sujeto largo de su verbo principal.

5. Nunca será correcto colocar **,** antes de **y** cuando se estén enumerando elementos, incluso en el caso en que sean extensos.

Sólo será correcta la **,** antes de **y** cuando enlace ideas.

ÍNDICE

Esta obra se terminó de imprimir
el día 15 de julio de 2004, en los talleres de
CASTELLANOS IMPRESIÓN, SA DE CV
Ganaderos 251, col. Valle del Sur,
09819, Iztapalapa, México, DF